CARLA AKOTIRENE

Ó PA Í, PREZADA!

RACISMO E SEXISMO INSTITUCIONAIS TOMANDO BONDE NAS PENITENCIÁRIAS FEMININAS

Copyright © 2019 Carla Akotirene
Todos os direitos reservados à Pólen Livros e ao selo Sueli Carneiro e protegidos pela Lei 9.610, de 19.2.1998.
É proibida a reprodução total ou parcial sem a expressa anuência da editora.
Este livro foi revisado segundo o Novo Acordo Ortográfico da Língua Portuguesa.

Direção editorial
Lizandra Magon de Almeida

Coordenadora editorial
Luana Balthazar

Revisão
Lindsay Viola e equipe Pólen Livros

Capa e projeto gráfico
Alberto Mateus

Foto de capa
Adeloya Magnoni

Diagramação
Crayon Editorial

Dados Internacionais de Catalogação na Publicação (CIP)
Angélica Ilacqua CRB-8/7057

Akotirene, Carla
 Ó pa í, prezada : racismo e sexismo institucionais tomando bonde nas penitenciárias femininas / Carla Akotirene. -- São Paulo : Pólen, 2020.
 248 p.

ISBN 978-65-5094-003-4

1. Feminismo 2. Racismo 3. Negras 4. Prisões femininas I. Título

20-1079   CDD 305.42

 Índices para catálogo sistemático:
  1. Feminismo

Pólen Livros
www.polenlivros.com.br
www.facebook.com/polenlivros
(11) 3675-6077

Às desobedientes, infratoras e indisciplinadas.
Elas, mulheres encarceradas.

AGRADECIMENTOS

AOS MEUS ANCESTRAIS PELA força, tranquilidade e incentivo espiritual: Osun pela luz, Sangó pela justiça, Ogun pela garra e Oya pelo tempo de amadurecimento.

Agradeço, em especial, à minha mãe pelas orações e pelo esforço sobrenatural na garantia da minha educação como primeira mulher da linhagem a concluir uma educação formal superior e de pós-graduação. Ao parceiro dedicado das madrugadas e suportes intelectuais, Clerisvaldo Paixão. À minha amiga feminista Carla Gisele, pela sinceridade de relação, por ter incentivado minha permanência no mestrado pelos meios necessários.

Pela paciência e apoio indispensáveis de tempos, agradeço a minha orientadora Cecília Sardenberg e às professoras Marcia Macêdo e Elisabete Pinto por comporem a banca e recomendarem publicação.

À parceria de Adriana Fernandes, Fabiana Leonel, Clarissa Felix, Ana Reis, Claudia Pons, Nairobi Aguiar, Natalina Almeida, Valdecir Nascimento, Hamilton Borges, Lio Nzumbi, Marcos Rezende, Moises Rocha, Vivian Oyasse, Matildes Tharles, Valdo Lumumba, Neide Silva, Elder Mahin, Vilma Reis, Geovan Banto, Hozana Campos e Brenno Tardelli.

Aos meus irmãos, Tairon Santos e Carlexandro Santos pelos laços afetivos em dias difíceis.

Ao coordenador Miguel Accioly, Jussara Rêgo e toda a equipe de extensão MARSOL pela solidariedade.
Às mulheres negras, parceiras deste sonho pessoal e coletivo.
Ao babalorisà Rodney Willian agradeço pelas orientações espirituais de agora que transformam meus escritos em ebós de destino.
Ao Ori generoso de Djamila Ribeiro.
E também a toda a equipe da Polén Livros.

Deixe'u te contar de minha gravidez. Vim grávida, perdi o meu menino. Não tive também assistência médica nenhuma. Meu neném morreu! Não me deram socorro, não vieram pegar o feto, joguei dentro do "boi". Eu não, a menina, que eu nem vi. Era um menino.

-Jackeline

PREFÁCIO – Ó PAÍ, Ó!¹

ESTE TEXTO-PESQUISA DE CARLA AKOTIRENE, que ora se transforma em livro e passará a ter circulação em outros espaços institucionais e subjetivos, chega em momento propício. Aliás, nós, povo de santo na Bahia, costumamos dizer que tempo de Orixá é o Tempo das coisas acontecerem certo.

A presente conjuntura sócio-político-econômica do mundo ocidentalizado pelo trânsito transnacional do capital intensifica a produção de macro e micro estruturas de exploração das diferentes humanidades, desumanizando seletivamente parcela imensa dos corpos inscritos na chave racializada da negritude e do gênero lido como feminino, em uma linha genealógica que nos remete ao processo de "modernização" dos estados-nação sob a égide da violenta razão colonial e escravista.

Curioso pensar o cínico mascaramento discursivo-valorativo que inibe a factualidade histórica da associação entre construção das "democracias modernas" e articulação entre os sistemas de justiça e seu aparato punitivo-prisional. Podemos, sem contornos, afirmar que as chamadas "nações democráticas

---

1 Peça de repertório do Bando de Teatro Olodum, que denuncia o Genocídio da juventude negra como política de estado baiana. O Bando, como afetuosamente chamamos, é o grupo de teatro negro mais longevo da América Latina e completa agora 30 anos de existência na Bahia.

desenvolvidas" que movimentam, hegemonicamente no cenário global, a geopolítica e os jogos financeiros que consomem, de modo predatório, pessoas e recursos naturais, constituem justamente aquelas que arquitetaram as maiores e mais eficientes estruturas prisionais para executar a contenção do rebotalho humano da falácia democrática.

Este sistema, além de sociopoliticamente eficiente, é economicamente lucrativo. O modelo privatizado de cárcere industrial estadunidense tem estendido seus tentáculos pela América Latina e vem negociando sua introdução e ampliação no Brasil há pelo menos duas décadas; fato que se articula à ampliação exponencial de nossas alarmantes taxas de encarceramento, com óbvia continuidade de incidência seletiva sobre pessoas negras, mormente mulheres.

A coerente articulação entre o sistema de justiça racista--sexista-elitista e seus aparatos de aprisionamento, o que inclui a nossa legislação antidrogas (leia-se: antinegra), audiências de custódia, autos de flagrante e quetais, dão a exata dimensão da tecnologia capitalizável de exploração de certas (des)humanidades que constituem o alvo do sistema prisional, e este livro de Carla Akotirene, exatamente neste momento, aponta o dedo para o epicentro da tragédia, no coração negro do Brasil – cidade de Salvador (capital do Estado da Bahia) – cidade mais negra fora de África, a dizer com as mulheres presas do Conjunto Penal Feminino, quase todas negras, todas negras de tão pobres, que o Haiti é aqui; mas como dizemos na terrinha, quando queremos apontar o dedo pra algo evidentemente errado: Ó Paí! Ou quando, na terra de ninguém, onde filha chora e mãe não vê: "Ó Paí, Prezada!"

Este livro é um grito de mulher negra.
Este livro é um grito das mulheres negras como nós.
Este livro é um grito das mulheres negras presas.
Grito que aponta o dedo na cara do Estado, embora o mesmo possa se mascarar de mulher negra para tentar nos confundir,

com seus jogos de signos vazios. Gritamos que estamos, novamente, nos tumbeiros, nos calabouços do sistema, sendo torturadas física, mental e espiritualmente, em um regime "democrático", a despeito da oficialidade do decreto de estado de exceção. Neste momento, o Brasil – parte do mundo "civilizado" – produz o aprofundamento dos abusos de autoridade tão "sutis" quanto sádicos que ocorrem nas cadeias. Chamados ao lema "ordem e progresso", pessoas "sob a custódia do estado" são obrigadas a cantar o hino nacional despidas após serem torturadas. Militarização e Privatização deveriam reinscrever o subtítulo de nossa bandeira nacional.

No entanto, diante da tragédia não anunciada, nós, mulheres negras, debaixo das botas, grades e tumbas, continuamos a emitir nosso Ilá sagrado:

Ó PAÍ Ó!

Este prefácio é apenas para dizer:

Leiam este livro de Carla Akotirene!

Escutem as Mulheres Negras!

Olhem para as Mulheres Presas!

DENISE CARRASCOSA[2]

---

[2] Denise Carrascosa é professora de literatura da Universidade Federal da Bahia, escritora do livro *Técnicas e políticas de si nas margens: literatura e prisão no Brasil pós-Carandiru* (2009) e coordenadora, há 9 anos, do projeto de extensão que ministra oficinas de escrita literária no Conjunto Penal Feminino do estado da Bahia, para efeito de remissão de pena e emancipação política-subjetiva de mulheres presas. Mulher Negra. Filha de Oya.

SUMÁRIO

1. SOBRE A PESQUISA 15
1.1 Embasamento teórico-metodológico deste estudo . . . 26
1.2 Objetivos 28
1.3 Da Metodologia Afrodescendente de Pesquisa à Epistemologia Feminista Negra 29
1.4 Organização do livro 36

2. A CRIMINALIZAÇÃO DAS MULHERES CONDICIONADA PELO RACISMO E PELO SEXISMO . . 39
2.1 Sexismo e racismo institucionais: crimes do Estado, duras penas para as mulheres 53

3. A PRISÃO NA PERSPECTIVA DA INTERSECCIONALIDADE DE GÊNERO, RAÇA E CLASSE 64

4. AS MULHERES NO CONJUNTO PENAL FEMININO DE SALVADOR 102
4.1 População carcerária em Salvador 105
4.2 As dinâmicas institucionais e os dados quantitativos . . 127

5. EMOÇÕES ENCARCERADAS: AS PRISÕES DOS SABERES E OS SABERES DAS PRISÕES 130
5.1 O "Bonde" da sexta-feira 146

6. AGORA É QUE SÃO ELAS! OUVINDO
   AS VOZES DAS INTERNAS 156
   6.1 "Viados", "Lêndeas" e Velhas – "Confere" aí
   a interseccionalidade 166
   6.2 Racismo e sexismo institucionais – Doenças sociais
   do Conjunto Penal Feminino de Salvador. 183
   6.3 A voz da instituição: "Sem 171, dê a voz, Prezada!". . . . 194

7. CONSIDERAÇÕES FINAIS:
   DO MATRIARCADO DA MISÉRIA À COMUNIDADE
   DAS MULHERES – UM CENÁRIO DE PENA. 200
   7.1 Últimas palavras 223

   REFERÊNCIAS 229
   GLOSSÁRIO 243

1. SOBRE A PESQUISA

ESTE LIVRO É MEMÓRIA ancestral da dissertação de mestrado no Programa de Pós-Graduação em Estudos de Gênero, Mulheres e Feminismos da Universidade Federal da Bahia.

Sabemos as razões pelas quais o sistema do mundo moderno colonial epistemicida captura milhões de racializados para as prisões, ainda que, na contramão desse apagamento, pesquisadoras como eu pautem o projeto feminista negro decolonial engajado na publicação dos pontos de vista contrapostos nesses mesmos efeitos. Porque a estética de execução penal preserva atemporal, indelével, o racismo sexista estruturante contra 42 mil mulheres privadas de liberdade, somente no Brasil. Até mesmo o equipamento conhecido como "body scanner" sofistica o vexame da revista íntima, abalizando o punitivismo na detecção de entorpecentes dentro da vagina duma mulher coagida a ingressar ilícita no sistema.

Na ocasião, em 2012, esteve ausente o fôlego acadêmico para defender o abolicionismo penal propalado por feministas como Ângela Davis, Djamila Ribeiro, Juliana Ribeiro, Vilma Reis, Denise Carrascosa, Winnie Bueno, Ana Flauzina, Luciana Boiteux, e Redes Feministas Antiproibicionistas diversas, ao mesmo tempo o giro epistêmico frente as autorias ocidentais, embora acredite que a saturação metodológica do trabalho reitera a responsabilidade intelectual de revelar o conhecimento situado, a parcialidade da boa ciência, a provisoriedade qualitativa dos dados e a instrumentalidade teórica Sul global inscrita na geografia analítica.

Os corriqueiros casos de violências contra as mulheres encarceradas, protagonizados por homens presos e por servidores do Estado, são uma demonstração cabal da urgência de debruçarmos atenção substantiva à prisão feminina, como uma instância de violência institucional na sociedade brasileira contra mulheres, principalmente as mulheres negras. É preciso entender melhor como tal microcosmo de violências amplas não encontra a mesma cobertura midiática dos episódios sociais de violência contra as mulheres, nem provoca os repúdios expressivos por parte das feministas.

É pouco instigante, a meu ver, buscarmos o conhecimento meramente destinado a reiterar o fracasso das prisões. Todas elas, mundialmente, estão distantes de serem exemplos de garantias de direitos humanos, ou de se constituírem como aparatos de convivência harmoniosa. Sabe-se que sua "utilidade" tem nascedouro no século XVIII, numa conjuntura de alheamento da sociedade em coparticipar integralmente do "espetáculo", que é a execução da pena, dado o fato de que, antes de as prisões serem instituídas formalmente, as punições eram apreciadas pelo soberano enquanto cena pública de barbárie (FOUCAULT, 1996).

Os excessos de crueldade na execução da pena, presenciados pelas diversas camadas sociais, objetivavam em princípio a contenção do cometimento de novos crimes. Na modernidade, tal momento de apreciação pública do castigo foi suprimido, limitando-se a "espetacularização" somente até o momento da sentença. Após o aprisionamento, a sociedade civil fica na ignorância das outras formas de castigos, além da privação de liberdade, ocorridas no âmago das prisões femininas.

Nesta obra, inexiste o interesse em investigar as motivações das mulheres sucumbirem à lei através de seus

1. SOBRE A PESQUISA

audaciosos crimes. A saber, suas infrações indiferem de outros grupos sociais, pois as mulheres matam, roubam, estupram, sequestram e corrompem iguais ou semelhantes aos homens, às classes dominantes, aos adolescentes ou aos idosos. A diferença marcante ao depararmos com crimes praticados por mulheres se deve ao fato de, além de serem consideravelmente menos frequentes, haver maior culpabilização do perfil de mulheres pertencentes às camadas subalternizadas, constantemente estereotipadas pelos programas de rádio e televisão sensacionalistas, responsáveis por dar notoriedade à eficácia da polícia e aos profissionais da segurança pública. Esses programas se valem da seletividade racial como mecanismo de culpabilidade tácita das mulheres pobres e negras, enquanto retratam as mulheres brancas e das camadas médias ora como inimputáveis, ora inocentadas ou sequer consideradas suspeitas por seus crimes sofisticados.

Para o destacado penalista latinoamericano Eugénio Raul Zaffaroni (1998, p. 245-246), sistemas penais como o brasileiro funcionam de forma genocida. O delito é construído. O "poder seletivo do Direito Penal elege candidatos à criminalização, desencadeia o processo de sua criminalização e submete-o à decisão da agência judicial", que pode autorizar o prosseguimento da ação criminalizante já em curso ou decidir pela suspensão dela. "Para limitar a violência seletiva e física, segundo certo critério objetivo, próprio e diverso do que rege a ação seletiva, do restante exercício de poder do sistema penal". O "bom candidato" é escolhido a partir de um estereótipo. "A decisão criminalizante da agência judicial é sempre 'má', mas menos 'má' que a decisão arbitrária do poder das outras agências."

O cometimento de crime em diferentes classes ratifica a capacidade subversiva das mulheres frente aos papéis sociais determinados por visões essencialistas; comprova a perseguição dos aparelhos repressivos do Estado às estratégias de sobrevivência ensejadas pelas mulheres pobres; ao mesmo tempo, explicita as subjetividades femininas para o cometimento de delitos. São fatos sociais condicionados por fatores culturais e não pela dimensão biológica, usada para explicar a criminalidade a partir de pressupostos lombrosianos, apressados em levantar como hipótese a composição genética acentuadamente masculina de mulheres criminosas.

Aqui, portanto, se busca a prisão como lócus dos cruzamentos de marcadores sociais (BRITZMAN apud LOURO, 1997, p. 43) de gênero, classe, geração, orientação sexual, identidade religiosa, dentre outros elementos constitutivos das relações sociais, capazes de desembocar em marcos institucionais agravantes da exploração, discriminação e subordinação das mulheres na "sociedade dos cativos" (SYKES, 1999), oxigenada pelo discurso falacioso de utilidade terapêutica, indispensável à ressocialização, à contenção de crimes e à incorporação de valores caros à sociedade patriarcalista.

É *sine qua non* ao olhar teórico, metodológico e político sobre a situação prisional no Brasil que antes façamos um chamado sobre os diagnósticos sociais que apontam a emergência de políticas públicas multidentitárias à população feminina encarcerada. Na década de 2000, relatórios internacionais quanto à situação de direitos humanos no Brasil revelaram que as mulheres cumprem pena em local inapropriado, sem condições laborativas, educacionais e de saúde, previstas na Declaração Universal dos Direitos Humanos e, no Brasil, na Lei de Execução Penal (CEJIL, 2007).

Endossam os documentos denúncias de que, a elas, é negado o direito à visita íntima, diferentemente dos contextos envolvendo os presos do sexo masculino; as celas são improvisadas, insalubres e há constantes recusas institucionais quanto ao direito a relações sexoafetivas. Sobre o campo da afetividade, ainda citam que são mulheres abandonadas por seus companheiros

1. SOBRE A PESQUISA

em função do comportamento delituoso, solitárias, adoecidas psicologicamente, por quase inexistirem visitas de filhos e companheiros (RODRIGUES e FARIAS, 2012; CEJIL, 2007; FONSECA e RAMOS, 2008; MENDONÇA e TAVARES, 2007). Tratam-se de mulheres cujos homens passaram a educação dos filhos para a tutela das avós maternas, nuances não exploradas nas mesmas pesquisas sobre encarceramento feminino (RODRIGUES e FARIAS, 2012; FONSECA e RAMOS, 2008; CEJIL, 2007; MENDONCA e TAVARES, 2007; SOARES e ILGENFRITZ; 2002; LEMGRUBER, 1999), contidos no marcador de gênero e nas respectivas repercussões na vida de outras familiares das internas.

As encarceradas são majoritariamente pobres, negras, semialfabetizadas, presas por tráfico de drogas (INFOPEN – Sistema de Informações Penitenciárias, 2018). Jovens fadadas a um ciclo de violência o qual não conseguiram romper em tempo, de plena ausência de condições materiais e presença de pretextos subjetivados em vínculos afetivos com homens, filhos e maridos delituosos (BARROS, 1998). A pena de privação de liberdade tem sido mais cruel a elas do que aos homens. Mesmo no comando do tráfico de drogas no país, são eles sentenciados em termos proporcionais por crimes contra o patrimônio, visto as mulheres terem seu papel funcional subutilizado na lógica laborativa do tráfico de drogas, aliado ao fato do patriarcado racista-sexista (SAFFIOTI, 1992) inviabilizar a negociação da impunidade entre a polícia, operadores do direito e líderes do crime organizado (LEMGRUBER, 1999).

Os dirigentes do tráfico brasileiro têm feito das mulheres "bode expiatório", segmento a ser responsabilizado pelo prejuízo do flagrante de delito, por seu perfil identitário acima de qualquer suspeita, já que construídas no imaginário social como passivas, inofensivas, frágeis, maternais, servindo porquanto para blindar o "sistema criminoso".

Este trabalho busca ainda enfrentar a afirmativa segundo a qual as mulheres são inseridas por amor ou coerção no "mundo do tráfico" (ATHAYDE e BILL, 2007) tendo em vista a reversão da pobreza, cujo principal empecilho nesse tipo de atividade seria a tipificação legal, por enquanto considerada hedionda na nossa legislação, com o cumprimento da pena obrigatoriamente em regime fechado, ao contrário de crimes patrimoniais liderados pelos homens.

Há neste a vontade intelectual focada na interseccionalidade das relações prisionais, para finalmente propor discursivamente que seja imperativo ao Estado aplicar princípios de justiça, equidade, impessoalidade na formação de seus servidores públicos, consequentemente nas políticas públicas penalógicas às mulheres.

Por certo, as contradições desses princípios habitam os expedientes institucionais executados pelo próprio Estado brasileiro, transgressor e ofensivo ao ideário democrático anunciado nos instrumentos internacionais de direitos humanos, na Constituição Republicana, violador dos acordos bilaterais à superação das violências contra as mulheres, e infrator da lei de execução penal.

É mister, portanto, à sociedade política dispensar um tratamento institucional a partir das recém-aprovadas Regras Mínimas de Tratamento de Presas (ONU, 2010), assegurando os direitos das internas, possibilitando finalmente um tratamento cidadão, ao invés do expediente institucional apto a classificar as subversivas como dejetos humanos.

O Estado viola as leis, a contragosto de serem elas resultantes das correlações de forças impostas pelos movimentos sociais, especificamente dos feministas, negros e de mulheres, devido ao fato de serem eles capazes de contrariar ou legitimar as insuficiências de determinados intentos dos governos democráticos ou tiranos, cujos alicerces fundantes resguardam conteúdos de racismo e sexismo.

1. SOBRE A PESQUISA

Ideologias resistentes à superação, racismo e sexismo, por se tratarem de matrizes de opressão pilares da sociedade brasileira, motivam em trabalhos como este a necessidade urgente de se produzir conhecimento sobre as dinâmicas culturais envolvendo mulheres encarceradas, marcadores sociais e normativas institucionais. Nessa direção, reafirma-se um posicionamento político sobre a importância da interseccionalidade como instrumento teórico-metodológico capaz de oferecer novas diretrizes de maior envergadura a respeito da condição social das mulheres antes e durante o cumprimento da pena, para o monitoramento e a avaliação das políticas carcerárias.

Proporcionam, em adição, possibilidades inovadoras no método de se produzir conhecimento, fazendo necessárias articulações com o lugar de enunciação do universo feminino no cárcere, explicitando, dessa forma, as variadas facetas colonialistas impostas pelo sistema patriarcal dentro da prisão – miniatura das grandes violências de gênero.

Ora, é legítimo o lugar do feminismo, enquanto campo teórico e político, ser o porta-voz das opressões direcionadas às mulheres, em sintonia com outros movimentos de mulheres. Porém, é indispensável não ser cego às identidades raciais, afetivo-sexuais, geracionais ou de classe quando entrelaçadas longe do seu raio de atuação, tal qual a prisão (DAVIS, 2003). Outrora, no desempenho clássico, o movimento feminista não conseguiu ser o aglutinador dos ângulos movediços ensejados pela ordem patriarcal-racista, e praticamente não tomou a mulher negra com as especificidades teórico-metodológica e política necessárias (BAIRROS, 2008; CARNEIRO, 2003).

Finalmente, se constitui um movimento revolucionário a luta das mulheres em defesa de um modelo societário longe do patriarcado e dos eixos de dominação masculina, que o racismo, sexismo e outras violências se fazem valer. Contudo, o feminismo da mulher universal, apesar de seus contributos antipatriarcais, tornou-se incapaz de verificar o quanto as instituições prisionais, por exemplo, se valeriam dessa legitimidade de mão única, genérica, para discriminar certas mulheres, dando-lhes exatamente um tratamento universalista, desconsiderando particularidades femininas no tocante a saúde, educação, trabalho e acesso à justiça a partir do elemento racial (DAVIS apud MENDIETA, 2006; DAVIS, 2003; DAVIS e DENT, 2003), a ponto de, no aspecto jurídico, sofrer contundentes críticas da criminologia feminista (ANDRADE, 1997) frente à ideia da distribuição equânime do sistema de justiça, no qual teoricamente as mulheres são criminalizadas de forma linear quando cometem infrações e supostamente propensas à igualdade de tratamento corretivo dado pelas prisões.

Como mulher negra, oriunda das camadas populares de Salvador, conheço de perto as dificuldades no acesso à justiça enfrentadas por mulheres como eu. De fato, meu interesse em desenvolver este trabalho surgiu, inicialmente, da situação vivenciada por uma antiga companheira de trabalhos sazonais no carnaval baiano, presa por tráfico de drogas. A partir daí, passei a acompanhar a luta antirracista da Associação de Familiares e Amigos de Presos (ASFAP), e constatei na entidade vontades antissexistas, mas robusta atenção direcionada aos homens presos quando comparada às encarceradas.

Ainda na graduação em Serviço Social, na Universidade Católica do Salvador, em 2008, na produção de relatório de pesquisa de estágio curricular com medidas socioeducativas na Fundação Cidade Mãe, a verificação da situação de privação de liberdade das mães das/dos adolescentes assegurou a relevância de uma investigação acadêmica em Serviço Social no Conjunto Penal Feminino de Salvador. Na cadeia, pude perceber a persistência dos estigmas e capitais que colocam socialmente mulheres negras e não negras em situação de desvantagens ou privilégios, e a franquia de prerrogativas para uma parcela minoritária de mulheres

1. SOBRE A PESQUISA

brancas, a despeito das outras aglomerações, impostas a um cumprimento penal enrijecido pelo racismo da instituição.

No livro aprofundo os estudos iniciados em trabalho monográfico de conclusão da graduação em Serviço Social, em 2008,[1] no afã de compreender como o biopoder do sistema penal, a partir das desigualdades de classe criadas pelo sistema capitalista, encontra-se estruturado no Conjunto Penal Feminino de Salvador, Complexo Penitenciário Lemos Brito, produzindo violências contra mulheres.

Acredito que a prisão é a quimera indispensável do Estado, visto a necessidade deste, enquanto regulador da pobreza, em dado momento de conflitos com os grupos dominantes e esgotamento das relações produtivas, suprimir a parcela feminina, não abarcada pelo sistema capitalista-racista, elegendo como crimes todas as estratégias rentáveis das camadas sociais desfavorecidas.

Em meu trabalho monográfico, as conclusões deram conta de ser o Estado o ente autorizado a reiteradamente deslocar as inventadas inaptidões sociais das mulheres para o convívio em sociedade, dando-lhes elegibilidade para as funções das prisões, nas quais estarão aptas como mão de obra barata, corpos jovens, cobaias de pesquisa científicas de posologias estranhas, disciplinadas para os postos de trabalho carcerário, depreciadas no espaço prisional. As dimensões de raça vão retroalimentar e aperfeiçoar a subordinação feminina, sem, no entanto, dispensar opressões diversificadas às mulheres negras em relação às demais encarceradas. Assim, neste livro, abarquei as dimensões de gênero trazendo em conta a interseccionalidade das relações na prisão.

Com efeito, procurei identificar, pela via da observação direta sistemática e por entrevistas, como a ausência de políticas públicas sensíveis a gênero e raça contribui para a manutenção

[1] A monografia realizada intitulou-se "Racismo Institucional: Crime do Estado, Pena para as Mulheres." 2008.

de segregações "biologizantes", comprometendo a ressocialização das mulheres, dada a precedente execução penal discriminatória. Especificamente, conheci o discurso da instituição, a fim de identificar os conteúdos do binômio gênero-raça, das normas, pareceres, regulamentos; doravante, o impacto dessa normativa na vida prisional das mulheres encarceradas no Conjunto Penal Feminino de Salvador.

Entendo que a compreensão do poder simbólico, tratado por Bourdieu (2009) e denominado pelo autor "poder invisível," cuja condição de exercício só pode ser desempenhada com a conivência daquelas que ignoram estar sujeitadas a esse poder, ou são as agentes dessa tecnologia, é um caminho preliminar para desvelarmos a forma como se processam o sexismo e o racismo das instituições prisionais. A constar a eficácia do sistema estruturante do poder simbólico das prisões, forjado e possibilitado em prol do grupo hegemônico. Um poder expresso por sistemas simbólicos, responsáveis por comunicar ideologias essencialistas, universalizá-las como legítimas, nas quais as encarceradas são submetidas ao discurso institucional.

É o poder simbólico da prisão o grande formulador de um conjunto de premissas ou *"habitus"* das encarceradas, conceito elaborado por Bourdieu, como sendo "decorrentes de um processo de interiorização da exterioridade e de exteriorização da interioridade" (ORTIZ, 1983, p. 60), que seguramente induz as mulheres a procederem em sintonia com as possibilidades existentes dentro da estrutura prisional.

Enfoco as matrizes de opressão, sexismo, racismo, dominação de classe (práticas institucionalizadas), considerando fundamental entender o papel do Estado, teorizado por Antonio Gramsci (2000), sob o contributo de, nesta abordagem, ser analisado de forma ampliada, formado pela combinação da sociedade política e sociedade civil, competindo ideologias, produzindo consensos, correlações de forças com os

1. SOBRE A PESQUISA

subalternizados, apropriando-se dos saberes sexistas e racistas difundidos nas relações civis.

Outra concepção validada de Estado verifica-se em Louis Althusser (1985), motivada pelo entendimento sobre as práticas institucionais, haja vista, para esse autor, os aparelhos ideológicos cumprirem a função política de moldar sanções e exclusões, premeditadamente, por meio de pressupostos interessantes ao grupo hegemônico. Na junção do aparelho repressivo do Estado com o corpo das instituições temos ainda a unidade dos aparelhos ideológicos de Estado para a reprodução das relações de produção; portanto, de exploração social, a justificar as criminalizações e os encarceramentos.

Posto o desenho da criminalidade, do papel do Estado e do impacto político do encarceramento na vida social das mulheres, segundo Mary Del Priore (1998), a influência da Nova História já colocou a criminalidade como eixo de importância da inscrição da história das mulheres. Simultaneamente, é um caminho teórico que possibilita ao feminismo se debruçar em fontes da circunscrição dessas mulheres presas, "mal faladas" aos olhos do Estado.

Urge, portanto, segundo Del Priore (1998), exercitar metodologicamente a contribuição da oralidade e a recuperação da memória feminina na reabilitação das subjetividades das mulheres presas, colaborando na dimensão política, dando significação aos discursos pessoais dessas mulheres e reconstituindo identidades femininas. Sem abandonar, porém, a relação da mulher e seu corpo, da forma que ele é interpretado no discurso das penitenciárias, nos laudos, arquivos e fontes documentais concernentes aos vínculos familiares que se quebraram após o ingresso na prisão. Por fim, a aquisição de saberes relacionados a dores, conflitos e relações de poder das mulheres encarceradas, engendradas no racismo e no sexismo institucionais podem, seguramente, oferecer novos olhares para a reescrita da história das mulheres e seus crimes contra o patriarcado.

1.1 Embasamento teórico-metodológico deste livro

Abordo o ambiente prisional enquanto espaço de intersecções identitárias, pois acredito ser impossível, por mera inferência, graduar os níveis de negação social de maior gravidade de gênero ou raça à experiência do encarceramento vivenciada pelos grupos subalternizados, não sendo intento desta reflexão teórica oferecida sobre a prisão caminhar por um protocolo classificatório das mais oprimidas do cárcere, a partir do adicionamento de marcadores sociais, porque seguramente entraríamos num viés simplista de promoção de uma categoria central, o gênero ou a raça, consequentemente à secundarização dos outros marcadores sociais.

Empobreceríamos desta maneira a discussão pós-moderna sobre a necessária desconstrução do debate voltado à compreensão da igualdade textualmente antagônica à desigualdade, e não enquanto antítese da diferença (SCOTT, 2005), proposto no âmbito político, uma vez que, nessa direção, ao creditarmos gênero como prioritário, reafirmaremos a mulher universal – branca, heterossexual, vitimada inevitavelmente pelo patriarcalismo dentro da prisão. Nomearíamos, dessa forma, as "outras" mulheres como "diferentes", incorrendo, em última instância no erro histórico marxiano quando outrora colocou "classe" como base de fundação das desigualdades sociais, não dando conta da equivalência estruturante do basilar gênero-raça (SAFFIOTI, 1992).

A depender da intersecioalidade dos marcadores mencionados, a raça vai impactar sobremaneira na opressão destinada a uma jovem encarcerada, por exemplo, alargando o efeito da dimensão de gênero. Por essa razão, a motivação dessa discussão teórica faz o chamado reiterado para a "interseccionalidade, conceito desenvolvido pela jurista estadunidense Kimberlé Crenshaw, sistematizado por mim no quinto volume da Coleção Feminismos

1. SOBRE A PESQUISA

Plurais, sob a coordenação da filósofa Djamila Ribeiro", tentando responder as dinâmicas interseccionais às mulheres encarceradas, em meio aos procedimentos administrativos, normas, pareceres e condutas do Conjunto Penal Feminino de Salvador. Referendada na teoria crítica feminista de raça desenvolvida por Kimberlé Crenshaw (2002), a interseccionalidade vem cumprir a missão teórico-metodológica de entendimento referente às distintas formas de iniquidades destinadas às mulheres; e de posse das reflexões da autora, é factível compreendermos que, quando nos limitamos ao gênero como a categoria única para responder aos processos dinamizados da violência institucional, exploração e subordinação das mulheres, havemos de suprimir a real condição feminina, sobretudo no tocante aos aspectos raciais, um pilar ideológico marcante numa sociedade sustentada por processos colonizadores, nos quais Azeredo (1994), Guillaumin (1994), Caldwell (2000) são excepcionais em correlacionar gênero-raça, até então comumente ausentes nas produções acadêmicas feministas.

A noção de interseccionalidade, segundo Crenshaw (2002), busca capturar as consequências estruturais e dinâmicas da interação entre dois ou mais eixos da subordinação, acrescentando a forma pela qual "o racismo, o patriarcalismo, a opressão de classe dentre outros sistemas discriminatórios criam desigualdades básicas que estruturam as posições relativas de mulheres, raças, etnias, classes e outras" (idem, p. 177), sendo as mulheres negras, na visão da autora, frequentemente posicionadas em um espaço em que o racismo ou a xenofobia, a classe e o gênero se encontram, logo, propensas a serem atingidas com intensidade pelo dinamismo do cruzamento desses sistemas.

Patrícia Hill Collins (1985), autora antirracista e antissexista, dispõe contributos teóricos às conexões das categorias raça, gênero, etnia e orientação-sexual, bastante úteis para pensarmos a complexidade das relações de gênero atravessadas por outras dimensões sociais. O mais relevante a extrairmos das indicações da autora é a defesa primordial de um esforço político para a ruptura das feministas com a tradicional reivindicação do sistema de opressão de gênero, numa dificuldade insistente de reavaliação da própria vitimização dentro do referido sistema, permeado de privilégios raciais, classistas, religiosos, geracionais, étnicos e de orientação sexual. Assim, permitirá entender por que, mesmo em condição de presas, as mulheres continuam diferenciadas no acesso à justiça, nos postos de trabalho dentro da prisão, da remissão da pena, do autônomo exercício da sexualidade lésbica e de atendimento em saúde atento às especificidades raciais.

Hill Collins, por fim, enfatiza a necessidade de as mulheres examinarem suas experiências particulares dentro da relação do sistema de opressões, pois a raça, a classe ou o gênero rotineiramente tomam lugar e tempo nas pautas de reivindicação feminista, sem que haja a percepção de que essas estruturas são paralelamente interligadas para opressoras e mulheres oprimidas. Conclui que embora pareçam ser categorias universais, representando politicamente todas as mulheres e homens, gênero e classe são categorias aplicáveis meramente a um grupo restrito nas análises estruturais (1985).

1.2 Objetivos

O objetivo geral deste livro é analisar comparadamente o racismo institucionalizado no sistema penal brasileiro, tendo como recortes empíricos o Conjunto Penal Feminino de Salvador, o lócus da interseccionalidade, que é objeto de estudo deste livro.

Como objetivos específicos, incluem-se:

- Analisar o cumprimento das Regras Mínimas de Tratamento das Mulheres Presas (ONU, 2010) no Conjunto Penal Feminino de Salvador;

1. SOBRE A PESQUISA

- conhecer as dinâmicas interseccionais na perspectiva do discurso das internas;
- analisar o funcionamento das violências contra as mulheres encarceradas na normativa e sociabilidades do espaço prisional.

Para levar adiante esses objetivos, desenvolvi trabalho de campo no Conjunto Penal Feminino de Salvador durante os meses de dezembro de 2011 e janeiro de 2012, período em que me dediquei a realizar não apenas observações sistemáticas do cotidiano prisional, mas também a entrevistar internas e agentes penitenciárias. Baseei-me, para tanto, nos preceitos da Epistemologia feminista negra, discutida a seguir.

1.3 Da Metodologia Afrodescendente de Pesquisa à Epistemologia Feminista Negra

A metodologia afrodescendente foi empregada por demarcar o engajamento político presente no caminho teórico e nas escolhas dos instrumentos de pesquisas dispostos, que desde o fato de o recorte empírico ser o Conjunto Penal Feminino de Salvador, revela uma pesquisadora que não se pretende neutra, objetivada ou alheia à identificação com a identidade social das mulheres negras encarceradas. As filiações teóricas do trabalho, dessa forma, se pretendem exaustivamente contra a dominação ocidental, ao epistemicídio[2] (CARNEIRO, 2011) e androcentrismo das pesquisas tradicionais. Esta pesquisa se vale em identificar o ambiente prisional feminino enquanto o espaço das sínteses do silenciamento, anulação de saber e da reinvenção das tecnologias de gênero (LAURETIS, 1994)

---

2 Ler originalmente Boaventura Sousa Santos, a partir de contribuições decoloniais e de origem no grupo latino americano Modernidade e Colonialidade.

contra as mulheres e em prol do grupo homem branco, heterossexual dominante.

Tanto Sandra Harding (1996) quanto Donna Haraway (1991), na crítica feminista, chamam a atenção para a necessidade de estabelecermos um contraponto à tradição cultural do ocidente, por ser ela falocêntrica e assinalada pelas metodologias positivistas cujos valores presentes para a produção de conhecimento reforçam o androcentrismo, a superficialidade da relação entre as pesquisadoras e os pesquisados, em um saber construído que se limita a uma objetividade e neutralidade impossíveis de serem exercitadas plenamente. Assim, reafirma Carmen Suzana Tornquist que "durante o trabalho de campo, deixar-se envolver, entregar, afetar, é um ponto fundamental" (TORNQUIST, 2007, p. 69), sugerindo o uso metodológico de um diário de campo destinado a valorizar as dimensões objetivas e subjetivas apreendidas pelo olhar da pesquisadora, porque, nesse caso, por exemplo, a pesquisadora também tem sua visão de mundo, seus preconceitos, ideologias feministas e identidades interferindo e dialogando com a forma de produção do conhecimento, valores os quais a ciência tradicional com seus métodos androcêntricos está distante de compreender.

Da mesma forma, a dimensão política das ciências precisa ouvir a voz dos grupos silenciados pela ciência hegemônica e, portanto, a viabilidade das nossas filiações metodológicas se fundamentarem em um compromisso político, que pode ser o de manutenção das assimetrias raciais e de gênero ou desmantelamento destas.

Trata-se da capacidade holística do trabalho etnográfico enquanto método reconhecidamente interessante para o ponto de vista das mulheres, na condição de grupo humano subordinado a sexismo, capitalismo e racismo. E para cumprir o interesse sobressaltante de entender o universo feminino prisional no tocante às dimensões de raça e gênero, busca-se compreender as

1. SOBRE A PESQUISA

performances da violência contra a mulher, do racismo e do sexismo institucional, oferecendo uma análise de observação sistemática aos eventos e às rotinas institucionais.

Por se tratar de um grupo particular com seu enunciado específico, é conclusivo revelar os anseios mais estruturantes das disputas identitárias e antagônicas frente à instituição por meio da etnografia, por compreendermos as mulheres encarceradas como "sujeitas" que sucumbiram às relações de saber-poder engendradas na sociedade. A metodologia afrodescendente colabora, então, ao desvencilhamento de noções de objetividade e racionalidade androcêntricas tão presentes nos insumos das ciências sociais clássicas, alvos da crítica feminista.

As(os) pesquisadoras(es) negras(os) têm constituído esforços para romper com o "racismo epistêmico" e com a hegemonia eurocêntrica presente nos métodos de pesquisas nos quais as mulheres e negros são os objetos de estudo e nunca sujeitos com uma cota identitária e ancestral reafirmada. Para o proponente desse estilo de metodologia, o Dr. Henrique Cunha Junior (2006), essa metodologia de pesquisa afrodescendente é uma readequação, uma atualização, podemos assim dizer, dos métodos interpretativos (observação participante, pesquisa participante e as abordagens de pesquisa sócio-históricas), a partir da rejeição do brancocentrismo eurocêntrico da ciência.

A Metodologia da Pesquisa Afrodescendente adapta o acesso ao conhecimento e procura sistematizar de maneira reflexiva esse saber, descartando a neutralidade e a objetividade científicas da produção do conhecimento oriunda do fato de a realidade apresentada pelos métodos tradicionais serem inventadas a partir dos interesses do cientista e não decorrentes da interpretação em ciências sociais.

As metodologias interpretativas se credibilizam pela não separação entre pesquisadora e pesquisada, perspectiva qualitativa, diálogo e posicionamento da realidade. A interferência da pesquisadora e a constante modificação dela pela outra "sujeita' não se evidencia nitidamente quando não existe um pertencimento racial em comum.

Nessa filiação à metodologia afrodescendente proposta pelo professor Cunha, verifica-se o percurso metodológico produzido de forma a possibilitar às participantes interagirem com a pesquisadora, fazendo desta, de certa maneira, parte do que está sendo investigado. Em associação distinta, na pesquisa ação, por exemplo, os objetivos explícitos dessa pesquisa preveem uma ação que produza efeito imediato sobre o ambiente pesquisado, diferentemente da metodologia afrodescendente, que não pensa na necessidade da ação porque existe uma diferença de postura dessa pesquisadora em termos ético-políticos.

Presentemente, nessa inovação afrocentrada de metodologia proposta por Cunha (2006), apesar de suficientemente sabido ser uma proposta bem discutida na antropologia, a afrodescendente difere de todas as metodologias de pesquisa interpretativistas, por termos aqui a inserção da pesquisadora num dado ambiente que ela conhece pela cultura afrodescendente e a história dos afrodescendentes se processar de onde ela mesma advém. Portanto, além de parte do ambiente, sou também parte da cultura e das visões de mundo das "sujeitas", mulheres encarceradas.

> A pesquisadora não vai aprender sobre uma cultura ou modo de vida que não lhe é familiar, do qual ela não comungava com problemas anteriormente, visto uma pesquisa haver a presença de valores sociais. Nesta pesquisa, a pesquisadora não obtém resultados com respeito à cultura "do outro". Trabalha-se dentro da própria cultura e com problemas que afetam a nossa própria existência (Cunha, 2006, p. 5).

A pesquisadora encontrar-se de forma física e mental como parte do ambiente de cultura afrodescendente em que se instala

1. SOBRE A PESQUISA

uma investigação desejada, mas também na condição de feminista negra fazendo pesquisa, com a socialização de cultura africana, ancestralidade de mulher negra, percepção de comunidade e cultura peculiar.

Posto isso, o método de pesquisa da afrodescendência é concebido para pesquisadores que, como no meu caso, são e vivem dentro de uma realidade na qual a opção política faz parte da identidade, quer seja de mulher negra, quer de feminista. Desse modo, a pesquisa pelo método afrodescendente vem a ser uma formulação da pesquisa participante. Pesquisadora e pesquisa se confundem em alguma proporção, transformando, sendo transformada, e, no curso da pesquisa, buscando se comportar longe da perspectiva de neutralidade científica e da separação entre sujeito e objeto da pesquisa, porque as mulheres não são objetos, menos ainda de estudo. Nessa metodologia a pesquisadora se reconhece na pesquisa, como também se modifica durante a pesquisa devido aos conhecimentos que as "sujeitas", as mulheres encarceradas, socializam.

Essa escolha metodológica se deve à razão de o movimento feminista contemporâneo ter chegado à conclusão da inexistência de uma metodologia feminista para a produção de conhecimento, inclusive tem concordância de haver nas nossas abordagens, filiações teóricas, forma de condução da pesquisa e preferência epistemológica feminista um posicionamento político; a nossa percepção do mundo vista por um olhar situado de pesquisadora, consoante a um ideário de projeto político para as mulheres. Na condição de mulher e negra vejo-me inclinada a olhar essas mulheres de maneira engajada, sem um distanciamento de neutralidade axiológica, nem de objetivação objetivante.

Porque a ciência, com seu status de poder, historicamente se aplicou em alternativas metodológicas androcêntricas, racistas, silenciadoras, sendo incapaz de pensar as mulheres negras enquanto "sujeitas", posto que a categoria raça, assim como o gênero, esteve secundarizada ou ausente das postulações ocidentais, tão dispostas à produção de saberes coniventes à manutenção do poder branco, heterossexual dominante.

O rigor da pesquisa, suas noções de neutralidade e objetividade sempre impediram outras modalidades de relação e troca entre pesquisadoras e pesquisadas, numa visão cartesiana, superinclusiva, utilitarista, de vitimização dos grupos anulados politicamente, e míope acerca das potencialidades dos excluídos, inseridos em métodos de pesquisa fixos e conservadores, nos quais o gênero e a raça não podiam se cruzar nem, por conseguinte, fornecer uma forma diferente de pensar o mundo. Como propõe Margareth Rago (1998, p. 7), trata-e do delineamento do novo agente epistêmico, não isolado do mundo, mas inserido no coração dele, não isento e imparcial, mas subjetivo, reafirmando sua particularidade, sem para tanto incorrer num método pronto e universalizante.

Nesse sentido, ao considerar a descredibilidade das abordagens propostas pela ciência androcêntrica, ao mesmo tempo buscando conciliar ideologia política e investigação teórica como condição central para o empoderamento das mulheres negras, filio-me ao Feminismo Negro, a nosso ver, a corrente epistemológica feminista indispensável para o ponto de vista das mulheres encarceradas.

De acordo com Patrícia Hill Collins (2000) em seus apontamentos sobre a intersecção das opressões, existem quatro princípios da epistemologia feminista negra: o primeiro princípio é que as epistemologias alternativas são construídas sobre a experiência vivida, não em uma posição objetivada de transformação de indivíduos em objetos de estudo, tão somente.

A segunda dimensão da epistemologia feminista negra é o uso do diálogo para a emersão do conhecimento, implicando a presença de pelo menos dois sujeitos, ao invés de debate contraditório das ciências sociais tradicionais, de negação do outro e

1. SOBRE A PESQUISA

privilegiamento do cientista. Nesse sentido, diferentemente das epistemologias hegemônicas, devemos utilizar, na recomendação de Collins (2000), o uso de pronomes pessoais, em vez de objetivação e de distanciamento da linguagem, valorizados na ciência social, pois a autoria da fala não deve desaparecer, a história é contada e preservada em forma de narrativa e não dilacerada em conformidade ao interesse do pesquisador.

Centrar em experiências vividas e em utilização de diálogo constitui o terceiro princípio do feminismo negro, que implica o conhecimento construído em torno da ética do cuidado. No lugar de acreditar na liberdade de valores dos investigadores, a autora afirma que todo conhecimento é intrinsecamente carregado de valor, devendo ser testado pela presença de empatia, sem binarismos, de emoção em contraste com o intelecto. Mesmo porque, segundo a autora, a emoção valida o argumento. O quarto e último princípio da epistemologia feminista negra perpassa a responsabilidade pessoal, porque o conhecimento é construído sobre a experiência vivida, sendo a avaliação de conhecimento simultânea à avaliação do caráter de um indivíduo, valores e ética, conclui a autora.

Segundo Bairros (1995), o feminismo negro propõe pensar nas mulheres negras sem deixar de olhar para as relações comunitárias, acadêmicas, militantes que as negras estabelecem, sendo o ponto de vista do pensamento feminista negro um conjunto de cinco temas importantes, em concordância com Collins, quais sejam: o legado de uma história de luta; a natureza interligada de raça, gênero e classe; o combate aos estereótipos ou imagens de controle; atuação comunitária; a política sexual (*idem*, p. 465). Logo, capaz de enxergar as mulheres encarceradas como intelectuais, visto que detêm muitos saberes sobrepujantes aos papéis de gênero determinados pelo patriarcado, e por serem elas as grandes subversivas das intenções biologizantes, por último, as infratoras da lei e da dominação masculina.

Na condição situada de adepta do feminismo negro, propus a tarefa teórica, pioneiramente colocada por Patrícia Hill Collins (2000), de que devemos pontuar o fato de os principais sistemas de opressão, aí inclusos racismo e sexismo, estarem interligados, além de apostar na epistemologia feminista, como sendo a estratégia intelectual de combate a multiplicidades de opressões oportunizadas simultaneamente, em direção às mulheres encarceradas. Portanto, a credibilização acadêmica do pensamento feminista negro perpassa o empoderamento das pesquisadoras negras, conferindo um papel científico protagônico, negando a condição vitimista imposta pela ciência tradicional, de que as pessoas negras são meros objetos de estudos ou incapazes de produzir conhecimento acerca de sua experiência social.

Por último, o pensamento feminista negro enfatiza o esforço político para que as mulheres não acadêmicas sejam reconhecidas também como intelectuais, como pontua Luiza Bairros, visto que seus saberes são úteis para o desmantelamento da situação excludente das mulheres negras, a exemplo da maioria encarcerada, apta a falar de suas próprias vivências; mulheres que sobrepujaram os papéis impostos socialmente, ousando infringir as normas. Assim como as pesquisadoras negras devem se reconhecer como legítimas, pessoas autorizadas à produção de conhecimento teórico baseado em experiências, contextos comunitários e problemáticas inerentes.

1.4 Organização do livro

Para melhor apresentar os resultados deste estudo, temos sete capítulos, sendo este o primeiro.

No Capítulo II, apresento a criminalização das mulheres negras brasileiras pelas instituições como fenômeno histórico, cuja base é a sociedade colonial. A história, pelo viés androcêntrico, promoveu o anonimato das mulheres, inviabilizando a

1. SOBRE A PESQUISA

presença delas nas narrativas oficiais, e, pelo viés brancocêntrico, subsumiu as mulheres negras e o saber das violências e resistências destas nas prisões.

Ainda neste capítulo, trato dos conceitos de racismo e sexismo institucionais e da apropriação destes pelo marcador de gênero que, ao lado de classe e raça, comportam uma ordem patriarcal racista e capitalista, na qual perfis sociais de mulheres serão expostos às violências institucionais.

No capítulo III, exponho a discussão teórica sobre a prisão como artefato punitivo cuja gênese se insere na mentalidade moderna da sociedade em não querer ver mais cenas públicas de barbárie, não percebendo a presença da interseccionalidade enquanto linha divisória e agrupamento simultâneo de categorias identitárias dessa miniatura das relações sociais amplas, onde se apresenta classe, raça e gênero, tanto para a culpabilização e sentenciamento de indivíduos como criminosos, quanto para a execução da pena discriminatória.

No capítulo IV, descrevo e analiso o Conjunto Penal Feminino de Salvador, Unidade Prisional, lócus da interseccionalidade e objeto empírico de análise quanti-qualitativa dos dados e como as dinâmicas institucionais se relacionam com estes.

No capítulo V apresento o estudo realizado durante trinta dias no Conjunto Penal Feminino de Salvador, no período de 13 de dezembro de 2011 a 19 de janeiro de 2012, subsidiado pelas emoções e experiências como argumentos legitimantes da pesquisa de campo.

No capítulo VI, ofereço o perfil identitário das internas do Conjunto Penal Feminino de Salvador, as condições de realização das entrevistas e a prisão sob o olhar das internas. Procuro mostrar como racismo e sexismo são ideologias e doenças institucionais motivadoras dos comportamentos preconceituosos entre as mulheres e do conflito em meio à condição de igualdade entre as internas *versus* as diferenças dos marcadores sociais no cumprimento da pena, presentes na institucionalização e na sociabilidade de cada uma delas.

Por fim, no capítulo VII, disserto sobre como os expedientes penalógicos vêm atuando na contramão dos pleitos feministas, impactando negativamente a formulação, a implantação, a execução e o controle social das políticas públicas antirracistas e antissexistas, desmascarando a ressocialização enquanto serviço institucional oferecido pelas prisões.

2. A CRIMINALIZAÇÃO DAS MULHERES CONDICIONADA PELO RACISMO E PELO SEXISMO

A HISTÓRIA DA HUMANIDADE, para além das barreiras continentais, sempre esteve calcada na crença da superioridade dos homens e da supremacia dos povos arianos. Em virtude dessa dominação, até mesmo a mulher reinventora de sua honra, que adquirira posses, como é o caso de Delindra Maria de Pinho, descrita no trabalho de Maciel Henrique Silva (2005),[3] foi preterida pela Justiça por ser mulher e negra, sem ter seus direitos assegurados, à revelia de possuir uma posição de classe favorável.

Em nome da ideologia racista se produziram catástrofes, a exemplo do sequestro de milhões de africanas escravizadas, torturadas, e ainda hoje com as marcas inscritas do racismo brasileiro moderno, cujas premissas falsas estão disfarçadas nos enredos da "democracia racial" metaforizada por Gilberto Freyre, em *Casa Grande e Senzala* (1988), obra marcada pela culpabilização das mulheres negras diante das violências sofridas, por serem elas irresistíveis, animalescas, quentes, depravadas, validando a crença de que crime é não estuprar uma mulher negra.

Em termos de suficiências conceituais, vale salientar na proposta discussão do racismo e sexismo a criticidade colocada

---

[3] Segundo o autor, Delindra Maria de Pinho demandou judicialmente a posse de uns "*corazes*" engranzados em ouro, supostamente furtados por um homem livre e sua esposa (p. 219).

pela autora Heleieth Saffioti (2008) acerca da estrutura de poder que unifica a ordem de gênero, de raça/etnia e de classe social, dispondo a síntese na qual o patriarcado, com a cultura especial que gera e sua correspondente estrutura de poder, penetrou em todas as esferas da vida social. O capitalismo, segundo a autora, "mercantilizou todas as relações sociais, incluídas as de gênero" (*idem*, p. 19). Igualmente a raça e suas implicações em termos de discriminação por, na sua estrutura de poder, estampar sua marca no corpo social por inteiro.

Da mesma forma, pondera sobre as ideologias estruturantes, pretensas nesse trabalho, trazendo em sua obra a geminação histórica entre sexismo e racismo (SAFFIOTI, 2008). Afirma a autora que "na gênese do escravismo constava um tratamento distinto dispensado a homens e a mulheres. Porque racismo, base do escravismo, independentemente das características físicas ou culturais do povo conquistado, nasceu no mesmo momento histórico em que nasceu o sexismo" (SAFFIOTI, 2008, p. 19).

A feminista Sueli Carneiro, em seu artigo sobre *Gênero e Raça* (2002), nos revela as gradações presentes na criminalização de determinados perfis raciais de mulheres, refletindo a culpabilização das negras nos estupros sofridos durante o período colonial, que atravessa os séculos, versados atualmente em discursos cada vez mais eugenistas, com moldes semelhantes aos da escravização; imputam às negras a responsabilidade pelo assédio sexual, pelo tráfico de mulheres, pela violência sexual no trabalho doméstico, pelo tratamento estereotipado dispensado pela literatura e pela historiografia androcêntrica. As reflexões da autora só reforçam a preocupação epistêmica com o conteúdo voltado ao fenômeno da violência contra a mulher e sua articulação com a raça, esse segundo componente constitutivo agravando o primeiro.

É por essa razão que a raça, em pesquisa, passou a ser utilizada como mecanismo político e teórico em favor de saberes

2. A CRIMINALIZAÇÃO DAS MULHERES CONDICIONADA PELO RACISMO E PELO SEXISMO

interessantes aos grupos que requerem a implementação de ações afirmativas, como forma de reparação das desvantagens sociais provenientes das injustiças históricas. Da mesma forma, o ponto de vista feminista vem criando aproximações entre os enredos em torno da criminalização das mulheres, a forma de puni-las, via produções comprometidas em desmontar o sistema do sexismo-racismo institucionais. Não obstante, deprecia discursivamente os conteúdos segregatórios manifestos na forma como foi escrito o saber sobre as prisões, sempre voltado aos aspectos arquitetônicos, aos métodos de disciplinamentos de corpos, gastos estratosféricos com a população presa, num viés de anonimato, estigmatização, anulação política das mulheres e naturalização das violências.

Um saber incapaz de pensar as diferenças entre as presas, míope aos promissores caminhos metodológicos oferecidos pela metodologia afrodescendente de pesquisa (CUNHA, 2006), alheio à crítica feminista, ademais, apreensivo em oferecer respostas às dinâmicas das relações sociais no cárcere, na perspectiva preferencial da superioridade das instituições e nunca das resistências das mulheres encarceradas.

É preciso considerar o fato de que, contrariando a lógica patriarcal, as mulheres conseguiram oferecer importantes embates, resistências, subjetividades e caminhos políticos à forma de se interpretar o mundo e subverter as ordens instituídas. Porém, as dinâmicas de classe, o androcentrismo e o racismo tornaram tímidas as tentativas iniciais do movimento feminista em tomar outros segmentos, a exemplo das mulheres negras, como covítimas do patriarcado,[4] aliás, as principais ausentes da história, perpetuando, no limite, o "epistemicídio" (CARNEIRO, 2011, p. 92-93)

---

4 Ver também a discussão de patriarcado em Lia Zanota Machado (2000, p. 3), enquanto um sentido fixo, uma estrutura fixa que imediatamente aponta para o exercício e a presença da dominação masculina. "Diferente do termo 'gênero' que remete a uma não fixidez nem universalidade das relações entre homens e mulheres."

dessas mulheres pela dominação masculina, branca e burguesa, invisibilizando assim a dimensão de gênero-raça nas metanarrativas, comprometendo as análises das opressões instaladas nas penitenciárias femininas.

A ponto de, quando as pesquisas avançam em termos de análise do não lugar das mulheres nos documentos, nos textos de reivindicação de direitos humanos, dificilmente abarcarem como linha de interesse teórico o encarceramento feminino, menos ainda o aspecto racial do aprisionamento, apesar de as "mulheres criminosas" terem assumido papéis socialmente desaconselháveis à condição de "segundo sexo", além de serem subversivas ao modelo de sociedade em curso.

Invariavelmente, os castigos destinados às mulheres, inserindo aí a invisibilização da temática prisional, objetivam não somente purificar, normatizar e recuperar a "essência" fundante das teses voltadas a comportamentos biologizados, mas, também, credibilizá-las.

Das memórias não apreendidas como preciosas fontes de saberes sobre os castigos nas prisões, amiúde, saberes de mulheres que foram presas, como Olympe de Gouges, francesa, julgada, condenada à morte e guilhotinada em 1793 (PETERLE, 2009), igualmente militantes políticas como Pagu em 1930 (SHUMAHER; BRASIL, 2000, p. 463), Dilma Rousseff na década de 1970,[5] Dulce Maria nesse mesmo período, dentre outras que foram presas por seu brilhantismo em lutas idealistas, servem como parâmetro de visibilização proposital da situação violenta vivenciada por mulheres pertencentes a grupos brancos, de camadas médias, diferente da visibilidade de outros segmentos quando encarcerados.

O branco (androcentrismo) da história oficial tende a subsumir os relatos das mulheres nas prisões, embora hoje os

[5] http://www.dilma.com.br/site/biografia#

2. A CRIMINALIZAÇÃO DAS MULHERES CONDICIONADA PELO RACISMO E PELO SEXISMO

esforços feministas deem voz e registro escrito referente aos estupros e às torturas presentes nos contextos de aprisionamentos. Porém, insistem as teóricas do feminismo negro no fato de as razões de classe fazerem com que o segmento de mulheres negras seja mais invisibilizado, a constar, que pouco é mencionada a história de resistência e tortura no cárcere.

Outra constatação, que sequer é citada sobre as prisões, é o papel protagônico da Igreja, quando o foco é o marcador de gênero. As autoras dessa geração, Bárbara Musumeci Soares e Iara Ilgenfritz (2002) afirmam que a perseguição às mulheres no âmbito prisional remete ao contexto das Ordenações Filipinas, no livro V, onde eram enquadrados aspectos da vida brasileira quando havia sintonia entre o crime e o pecado, expressando violações morais à sociedade. Implantada no reinado de Felipe II de Portugal, de acordo com as autoras essa jurisdição perdurou durante duzentos anos, legislando as práticas coercitivas nas colônias. As autoras afirmam que esse ordenamento jurídico possibilitou à Coroa Portuguesa importar para o Brasil as amantes de clérigos, as alcoviteiras, as mulheres que se fingiam de grávidas e os segmentos indesejáveis a Portugal.

Salientam terem sido os navios negreiros formas iniciais de prisão de mulheres. Posteriormente, foi estabelecida a Casa de Correção da Corte, pela qual, segundo as autoras, consta que em 1869 e 1870 teriam passado 187 escravas, das quais 169 faleceram e 16 resistiram ao calabouço de aprisionamento dos(as) escravos(as) e prostitutas. Sobre esse ângulo histórico, é importante relembrar, segundo Claudete Alves (2008), a chegada em navios-prisões ao Brasil de aproximadamente 4 dos 10 milhões de africanos capturados para trabalhar na economia do País. Especialistas nessa temática acreditam que do século XVI ao XIX foram cerca de 20 milhões de africanos capturados, aprisionados para as Américas em condições degradantes, impossibilitando que a maioria chegasse com vida às terras brasileiras.[6]

Todavia, com o aumento do empenho da ciência feminista em conhecer e informar a situação das mulheres que vivem atrás das grades, torna-se possível identificar as opressões, as explorações e resistências das infratoras dos valores paternalistas do Estado. Sabemos da quase inexistência de registros de mulheres negras prisioneiras, por isso, sem dúvida, a vontade intelectual de se pensar gênero e raça, ambas entrelaçadas, nos fornece uma compreensão dos "silêncios gritantes" da história das mulheres presas, constituindo, dessa forma, um caminho indicador das lutas, disputas e (re)existência das encarceradas.

A respeito do caráter racista para a criminalização das mulheres, ouso-me a especular da vontade estatal[7] de não mudar a dimensão racial do aprisionamento, exatamente porque é possível verificar a mulher negra como principal atrativo da criminalização e aprisionamento no Brasil, a ponto de, no trabalho etnográfico feito por Alberto Heráclito Ferreira Filho (1999) sobre os mecanismos de cunho racial para o ordenamento do espaço público em Salvador nos séculos XIX e XX, percebermos a preocupação sexista do Estado em controlar os corpos das mulheres negras, desperdiçando as suas laboratividades, enfaticamente, quando esse grupo humano assumia funções consideradas masculinas.

---

6 De acordo com FLORENTINO, VIEIRA e SILVA, "se aceitarmos, com Phillip Curtin, que entre 1701 e 1830 a América Portuguesa conheceu o desembarque de quase 2.500.000 africanos (um terço do total de cerca de sete milhões de africanos desembarcados em todas as Américas), veremos o quão ímpar é a envergadura dos tráficos carioca e baiano. Nesse período, o porto do Rio de Janeiro foi responsável por metade das importações brasileiras e Salvador por quase 30% das mesmas" (2004, p. 97).

7 Segundo Althusser, em *Ideologia e Aparelhos Ideológicos de Estado*. (1980, p. 32), "o aparelho de Estado que define Estado como a força de execução e de intervenção repressiva, 'ao serviço das classes dominantes' (...) é de fato o Estado, e define de fato a 'função' fundamental deste".

2. A CRIMINALIZAÇÃO DAS MULHERES CONDICIONADA PELO RACISMO E PELO SEXISMO

Em adição, o autor descreve o abuso de autoridade dos aparelhos repressivos de Estado em relação às mulheres negras, de como as abordagens violentas ocorriam independentemente das conjunturas governistas ou dos ideais republicanos. A contento, percebe-se que a repressão policial e os mecanismos de justiça, historicamente, têm servido para criminalizar a população negra que não conseguiu ser abarcada nas relações de produção aceitas formalmente, apesar de não existir história de expedientes estatais que tentassem a inclusão das camadas negras; ao contrário, verifica-se a tentativa recorrente de criminalização e encarceramento.

Sobre esse racismo da Lei, o trabalho de Hélio Santos (2001) analisa que o crescimento biológico dos brancos orientado nas estratégias do Estado pode ser identificado nas vantagens disponibilizadas a esse segmento humano pela Lei de Terras[8] de 1850. Durante o período de 1888 a 1914 houve auxílios financeiros, aberturas de créditos, concessão de passagens no objetivo de impulsionar a imigração. Conclui o autor que aproximadamente 2,5 milhões de portugueses, italianos, alemães, espanhóis, austríacos e japoneses tiveram a oportunidade de se emancipar no país, ao contrário de mulheres e homens negros que não tiveram esse direito.

Os crimes raciais e sexistas do nosso Estado também se respaldaram na instituição de leis para dificultar qualquer tentativa da população negra em sobrepujar a nova exclusão instaurada após a extinção do trabalho escravizado. Dois anos após a abolição da escravatura, em 1890, foi criado o segundo Código Penal, o qual configurava como crime as expressões culturais dos

---

[8] Para Hélio Santos, a Lei de Terras – Lei 601 de 1850 consagrou o favorecimento aos europeus para possuírem terras no Brasil, de forma a estimular a vinda do imigrante, uma vez que a posse de terras era um privilégio dos portugueses e dos luso--brasileiros, além de assegurar a naturalização e a isenção de serviço militar para esses estrangeiros. (2001)

45

negros, a exemplo da capoeira (ALBUQUERQUE e FRAGA FILHO, 2006, p. 247), tipificadas de vadiagem ou capoeiragem,[9] e das funções monetárias exercidas pelas mulheres, pioneiramente presentes no espaço público na condição de trabalhadoras, refletindo nesse momento a criminalização imposta pelo Estado à ancestralidade do continente africano, tão presente nas ruas de Salvador, e a punição premeditada a todas as situações descritas como mendicância e desocupação.

Por vezes, ainda segundo Ferreira Filho (1999), as abordagens violentas da polícia marcaram a proibição da lavagem da Igreja do Bonfim, os batuques, os cultos advindos do candomblé, as vendagens e toda e qualquer estratégia de trabalho desenvolvido pelas mulheres negras em Salvador. Antes, a normativa prisional enveredou pelo pensamento lombrosiano em referendar a tese de criminalidade nata das pessoas descendentes de africanos. Sob esse aspecto ideológico, posteriormente desmoralizado pela própria Ciência, persiste a política estatal de encarceramento em massa de negras. Merece destaque na teoria lombrosiana o aspecto relacional de que quanto maior for a capacidade intelectual da mulher, mais periculosidades sociais oferece, na medida em que se distancia da maternidade e da subserviência natural.

A teoria da caracterologia de Cesare Lombroso (LOMBROSO apud LAMGRUBER, 1983, p. 12)[10] procurou explicar a ordenação biológica dos seres humanos considerados inferiores, representadas pelos negros e pelas mulheres à predileção de crimes, descrita na obra de 1896 A mulher criminosa, baseada no formato do crânio, medição da cabeça dos indivíduos, arcada

---

9 Código Penal de 1890 (dec. no. 847, de 11 de out 1890):
"Art. 402. Fazer nas ruas e praças públicas exercícios de abilidade (sic) e destreza corporal conhecidos pela denominação de capoeiragem; andar em correrias (...): Pena – Prisão celular por 2 a 6 meses".
10 Ver também SOARES e ILGENFRITZ: 2002, op. cit., p. 63-66.

2. A CRIMINALIZAÇÃO DAS MULHERES CONDICIONADA PELO RACISMO E PELO SEXISMO

dentária, dentre outros indícios biologizantes para identificar a criminalidade. No caso feminino, independentemente da raça, as mulheres podiam ser nomeadas como criminosas passionais, histéricas e de comportamento moral desajustado, apenas por possuírem o clitóris pequeno, grandes lábios vaginais, sexualidade aguda ou lésbica, ou praticarem masturbação, sendo este último perfil de mulher o mais perigoso (LOMBROSO e FERRERO, 1980, p. 103).

Tal nomeação biologizante dos grupos humanos proposta por Lombroso teve no Brasil, na Faculdade de Medicina da Universidade Federal da Bahia, no período de 1862-1906, um expoente teórico que foi Nina Rodrigues, médico e etnólogo, influenciado pelo pensamento do cientista italiano, a ser retomado adiante. Nas suas teses, Rodrigues abrigou a ideia de que a raça ariana deveria proteger a nação dos descendentes de africanos, pois, no entendimento do autor, os negros e os mestiços possuíam uma degeneração genética natural que os levava ao cometimento de crimes; detinham um fator biológico deformado, inerente à condição de grupo humano, por isso não deveriam ser tratados com igualdade jurídica ou psíquica. Nas suas obras, o médico reflete que mulheres e homens negros constituem a categoria inadaptável à sociedade regida por valores definidos; são "degenerados", possuem um impulso incontrolável às infrações:

> Crime - A criminalidade dos povos mestiços ou de população mista como a do Brasil é do tipo violento: é um fato que nos parece suficientemente demonstrado a impulsividade das raças inferiores representa certamente um fator de primeira ordem nesse tipo de sua criminalidade, mas se compreende facilmente que a impulsividade criminal pode ser e será em grande parte uma simples manifestação da anomalia que faz com que os criminosos sejam seres que não podem se adaptar, se acomodar ao seu meio social, refratários que são à norma social sob a qual deveriam viver (RODRIGUES, 1899, p. 27).

São essas inconsistências teóricas de Lombroso e Rodrigues que concebem tratamento diferenciado antes, durante e depois da privação de liberdade das mulheres (OLIVEIRA, 2003; WACQUANT, 2001, p. 99). E fornecem uma tentativa de sentenciar como criminosas as condutas subversivas aos ideários essencializantes dos grupos dominantes protegidos pelo Estado e, por conseguinte, levam algumas organizações de proteção dos direitos humanos a denunciarem as opressões de gênero e as violações de direitos das mulheres encarceradas.

No entanto, para Angela Davis (apud MENDIETA, 2006), além desse quadro ideologicamente tramado contra as mulheres, o prognóstico das prisões incide em verdadeiros complexos industriais da lógica capitalista para aprofundar o racismo, o sexismo, o machismo e a lesbofobia. Na opinião da autora, o feminismo precisa romper com a ideia de mulher universal, sobretudo, dentro da prisão.

A autora também enfatiza a eficiência do modelo prisional, pondo em jogo o confinamento das potencialidades das mulheres, mais a globalização e o neocolonialismo anteriores que vêm se expandindo pelo mundo (DAVIS e DENT, 2003). Com essa realidade globalizada, há um aprofundamento das desigualdades raciais e de gênero, nas quais as regras institucionais das prisões buscam fragilizar os vínculos raciais, e por consequência prevenir as relações lésbicas inter-raciais, independentemente das barreiras territoriais que separam as mulheres no mundo, pontua a autora.

Nunca importou para Angela Davis o quão longe viajasse através do tempo e do espaço, de 1970 a 2000, e da Casa de Detenção feminina em Nova Iorque, onde ela mesma estivera presa, até a prisão feminina em Brasília, como relata, porque existe, segundo Davis, uma similaridade nas prisões em geral, e especialmente nas prisões femininas. Acrescenta-se a essa reflexão o retrato das prisões femininas, precisando ser

2. A CRIMINALIZAÇÃO DAS MULHERES CONDICIONADA PELO RACISMO E PELO SEXISMO

avaliado em relação ao quanto é importante para os feminismos desvencilharem-se da noção de que há uma qualidade universal que podemos chamar de mulher: "Isso me faz pensar no trabalho sobre o desafio de repensarmos as fronteiras entre as ciências sociais e as humanidades, como um meio de reflexão específica sobre as mulheres nas prisões" (DAVIS e DENT, 2003, p. 527).

Sobre as lembranças importantes na história das mulheres e a relação com os crimes, Braunstein (2007, p. 38) relembra que a Igreja não pode ser esquecida como impulsionadora da violência contra a mulher, por certo da violência que significa a criminalização de mulheres. Segundo o autor, o Estado Brasileiro é o guardião do que é supostamente sagrado, logo pune severamente as mulheres quando as condutas exercidas por estas não estão condizentes ao papel da boa mãe, idônea, portadora de fé, repudiando, portanto, as práticas feministas.

Revisita o século XVIII para mencionar que as mulheres negras eram as trabalhadoras informais na vigência das Ordenações Filipinas, e como o advento da Constituição de 1824 e do Código Criminal de 1831 serviu para castigá-las dentro do território, por comportamento indisciplinar. Além da ausência de laicidade do Estado, cuja intervenção estava orientada nos interesses da Igreja, é exigido o oposto das liberdades individuais, um comportamento feminino baseado em santidade moral sob o argumento de que os seus papéis femininos devem ser o complemento das atribuições dos homens.

As autoras Soares e Ilgenfritz (2002) voltam para observar que até mesmo Lemos Brito, o principal ideólogo das prisões femininas no Brasil, escritor crítico das condições degradantes dos navios negreiros e consequente miserabilidade física e moral das mulheres sequestradas do continente africano, quando incumbido em 1923 pelo Ministro João Alves a apresentar um plano geral de acolhimento à mulher encarcerada, na visão particular guardava a fundamentação conservadora cristã de que as unidades prisionais específicas educariam as mulheres ao papel natural cabível, de submissas aos homens, boas mães, com uma sexualidade tolerável e controle de fluidos orgânicos que aflorassem a volúpia do homem encarcerado.

Cautelosamente, o poder judiciário, sendo um predador social em nome da força política de Estado, inclua-se aí a mídia estigmatizante, atua advertindo com falsas preocupações à sociedade, de possíveis crimes a serem praticados por determinados perfis sociais, pessoas egressas das prisões, mulheres de determinados territórios pauperizados, de maioria negra, fazendo-se valer o protocolo institucional para categorizar esses indivíduos de "perigosos" e, a partir daí, retroalimentar a vigilância ininterrupta por meio da repressão, até a reincidência, para um ciclo vicioso no qual as mulheres ficam propensas a voltar à prisão.

A mídia tem um papel crucial nesse quadro instalado, uma vez que impõe suas verdades, estabelece uma hierarquia noticiosa abordada como "racismos institucionalizados" analisados por Suzana Varjão (2008), e interagem com as informações dadas pela polícia, independentemente da veracidade da informação em contraponto da "verdade" da supostamente culpada. Segundo essa autora, a notícia depende da troca de informações entre os comunicadores e os policiais, que, mesmo na condição de culpados, podem transformar em fatos a criminalidade das pessoas negras, pois a polícia detém um capital simbólico que converge à política não oficial de extermínio de indivíduos com características raciais e socioeconômicas excluídas.

Do funcionamento institucionalizado da dimensão racial e do sexismo brasileiro temos, no trabalho de Lélia Gonzalez (1983), um olhar válido para o entendimento da naturalização da miséria vivenciada pelas mulheres negras. Segunda ela, às negras somente restam o trabalho doméstico ou a condição de

2. A CRIMINALIZAÇÃO DAS MULHERES CONDICIONADA PELO RACISMO E PELO SEXISMO

mulata no espaço público. Pensar nas penitenciárias femininas é conclamar ao direito do "lixo" falar, pois esses dejetos humanos das prisões ousaram sair do lugar colocado pela cordialidade racial brasileira, de serviçais, objetos sexuais, e infringiram as leis da nação que hospedou a mulher como sinônima de "passividade" imersa ao racismo brasileiro.

Do que foi posto, *O Cemitério dos Vivos* (1983), de Julita Lemgruber, é a obra com capacidade inédita de revelação sobre os segredos interseccionais guardados nas prisões femininas. Já na década de 1970, nos oferece pistas de que o aprisionamento feminino iria piorar ao avançar da década de 1990; as mudanças seriam conjunturais, com as estruturas, em termos de cultura prisional, sustentadas pela opressão de raça, classe e estereótipos de gênero.

Na referida obra, a autora comete deslizes no tocante à visão sobre homoafetividade, sobre a discussão da violência doméstica das homicidas de companheiros violentos, ao inferir uma diminuição desse crime, oriundo da queda da violência contra a mulher no âmbito privado, além do apelo excessivo à maternagem presente na dissertação. Talvez, devido à limitação de suas filiações a produções legitimadas pelas feministas, a mais marcante feita com Margarete Mead e Simone de Beauvoir sobre papéis culturais distintos, não universais, para as mulheres e homens, depreciando os teóricos defensores da anomalia biológica de mulheres com comportamentos considerados viris.

A grande sagacidade discursiva em Lemgruber é o empenho para descredibilizar o sexismo de Lombroso e sua crença de que a mulher seria mais passiva e conservadora que o homem devido à imobilidade do óvulo (1983, p. 2). Assim como fez com Freud e seu entendimento de que o crime feminino representa um "complexo de masculinidade". Critica também Cowie e Slater (LEMGRUBER, 1983, p. 3), autores crentes de que o envolvimento com o crime está ligado a problemas psicológicos, e no caso da mulher menos ao crime por ser passiva; e com o Pollack, a respeito da criminalidade feminina não ser de cunho biológico e sim cultural, embora mascarada, porque as mulheres são dissimuladas, conseguem disfarçar seus crimes e até mesmo fingir orgasmo (*idem*, p. 3-4).

Sobre a excepcionalidade da obra de Julita Lemgruber em trazer o prejuízo da combinação ideológica entre direito e medicina para forjar discursos habilitados a expor criminalmente certas mulheres diferenciadas, nomeando-as de monstros sociais e aberrações biológicas, vale a pena mencionar que assim como ocorreu no trabalho da autora, no Talavera Bruce, unidade prisional feminina do Rio de Janeiro, no Conjunto Penal Feminino de Salvador, Complexo Penitenciário Lemos Brito, foi possível verificar durante o trabalho monográfico de conclusão da graduação, em 2008, que as mulheres brancas, em virtude de sua maior escolaridade, recebiam os melhores cargos de trabalho dentro da prisão, ao contrário das negras, em maioria com os serviços pesados e de limpeza, consequentemente, prejudicadas pelo benefício do indulto, e da remissão de um dia de pena para cada três dias trabalhados. Como se verá adiante, a opressão racial da década de 1970 no Talavera Bruce é similar à do Conjunto Penal Feminino de Salvador na década de 2000.

Quanto ao Talavera Bruce, Lemgruber ainda verifica a demonização das religiões de matriz africana, bem como o temor das punições impedindo os motivos da prática da umbanda, visto que, segundo o relato de algumas internas entrevistadas pela pesquisadora, o mais comum era ouvir-se que a prisão seria um lugar de "maus fluidos", um lugar "carregado", daí não ser possível o culto (LEMGRUBER, 2000, p. 102).

Aqui, na Unidade Feminina baiana, como constatei em meu estudo anterior, para a mesmice do complexo penitenciário somente existe "a boa receptividade institucional das religiões neopentecostais e as pastorais católicas à prestação de assistência religiosa, prescrita em lei, apesar de não haver nenhuma

2. A CRIMINALIZAÇÃO DAS MULHERES CONDICIONADA PELO RACISMO E PELO SEXISMO

recomendação regimental para cerceamento de preferências religiosas" (SANTOS, 2008, p. 54).

Os fatores internos organizacionais de cunho pentecostal, a visível prevalência de funcionários evangélicos e a hospitalidade de acesso dos sacerdotes ligados às religiões de matricidade não africana indicam total ausência de laicidade institucional e presença de intolerância religiosa. Apesar de haver mulheres negras candomblecistas, estas relatam que sofrem perseguição religiosa e são estigmatizadas como "as seguidoras do mal".

2.1 Sexismo e racismo institucionais: crimes do Estado, duras penas para as mulheres

Quando tratamos de sexismo institucional nos remetemos ao conjunto de normas, valores, ações, rotinas ou regulamentos propagados por determinadas instituições, que privilegiam um sexo em relação ao outro, ou uma forma de orientação sexual em relação às demais, com base nas ideologias de gênero e sexualidade. A heterossexualidade obrigatória, a inferiorização das mulheres, a centralidade do macho como o condutor das relações sociais, quando propagados no âmbito institucional, são expressões do sexismo institucional. Em última instância, tais expressões têm por base a forma em que uma dada sociedade identifica e se apropria de diferenças biológicas e anatômicas entre os sexos, diferenciando mulheres de homens e dando-lhes tratamento desigual. O conceito de gênero se propõe a dar conta desse fenômeno; segundo Joan Scott (1994), gênero constrói socialmente as diferenças sexuais, encontrando ambiência nos poderes oriundos das significações culturais.

Antes, Scott (1990) nos ensina que o conteúdo de gênero concede uma explicação sobre as diferenças pautadas entre os sexos, sendo elemento constitutivo das relações sociais. Contudo, é apenas uma possibilidade explicativa, posto que, isolado, não consegue responder aos desafios imbricados nas experiências das mulheres, conforme o "entrelace" de outros pertencimentos étnicos, geracionais, regionais, de ordem afetivo-sexual ou classista, dentre outros que seguramente, nas identidades presentes na condição social das mulheres, favorecem tratamentos racistas, confessionais, lesbofóbicos ou adultocêntricos por parte das instituições.

Com efeito, ao incorporar leituras de gênero com maior densidade ao estudo sobre mulheres e discriminação institucional em prisões, percebemos que não é somente o racismo a ideologia basilar nas instâncias de privação de liberdade femininas. O sexismo institucional comporta disciplinamentos hegemônicos não menos preocupantes, pouco explorados nos trabalhos acadêmicos sobre o sistema prisional brasileiro, assim como incipiente na pesquisa realizada anteriormente para a elaboração da minha monografia de graduação, fragmentada pela não percepção das violações institucionais sob "*a priori* biologizantes de sexo".

A reivindicação da plataforma de políticas públicas para as mulheres exige uma sociedade equânime, na qual seja possível verificar um Estado adequado à prestação de um atendimento não sexista, fomento a bens e serviços comprometidos com reversão das disparidades entre mulheres e homens, combate aos estereótipos machistas, atendimento humanizado às mulheres e garantia de direitos sexuais e reprodutivos. Exige, também, um Estado aplicado em romper com determinismos biológicos presentes na concepção, formulação e implantação das políticas públicas, até o momento expostas à habilidade patriarcalista de manutenção explícita de desvantagens para o acesso das mulheres à cidadania plena.

O descaso profissional no campo da saúde dado às mulheres após um aborto clandestino expressa o sexismo, valendo, ainda, o destaque para a esterilização induzida de mulheres pobres, sobretudo negras, já amplamente denunciada nas plataformas

2. A CRIMINALIZAÇÃO DAS MULHERES CONDICIONADA PELO RACISMO E PELO SEXISMO

feministas (OLIVEIRA, 2003, p. 161). Podemos mencionar ainda a resistência encontrada pelas mulheres na aplicação da Lei nº 11.340, conhecida como "Lei Maria da Penha", a baixa representatividade feminina no alto escalão dos espaços decisórios contrariando a lei de cotas, apesar de indiscutivelmente possuírem, em média, uma formação profissional qualificada. No exercício do sexismo, as instituições, em forma de exploração, influem a ponto "de os salários médios das trabalhadoras brasileiras representarem tão somente cerca de 64% (IBGE) dos rendimentos médios dos trabalhadores brasileiros, embora, nos dias atuais, o grau de escolaridade das primeiras seja bem superior ao dos segundos" (SAFFIOTI, 2008, p. 8). Todas essas constatações exemplificam, enquanto saber a respeito das diferenças sexuais, a opressão de gênero presente nas conjunturas dos governos sob a forma de gestão pública.

De qualquer modo permanece colocada a luta primordial pelo cumprimento da Lei Maria da Penha, que é de 2006, diferentemente do empenho político para o cumprimento da Lei de Execução Penal de 1984, deixando nítido o problema de as(os) defensoras(es) da primeira desconhecerem o exercício das violências patriarcais no âmbito privativo de liberdade de mulheres, a despeito de as internas terem sido presas com seus companheiros, e recentemente saibamos do aumento de detenções por conta de maridos e namorados coagirem as "suas" mulheres a levar entorpecentes na vagina e ânus, durante a visita íntima, uma violência deveras carente de aprofundamento discursivo em pesquisa (RODRIGUES e FARIAS, 2012; BRAUNSTEIN, 2007).

Decerto, as perversas lembranças de sexismo institucional podem ser verificadas quando SANTOS (2001) comenta que a primeira opção republicana após a abolição da escravatura foi a de embranquecer o contingente populacional, favorecendo, para tanto, a entrada legal de milhares de estrangeiros para copular com as mulheres brasileiras, uma estratégia de embranquecimento da nação que revela um caráter de sexismo burguês expressado na visão de MOORE (2007, p. 19)

O estrato dominante deve manter e reproduzir seu poder e, para fazê-lo, é preciso que estimule o crescimento biológico daquele setor, ou setores populacionais suscetíveis de proteger esse poder. Vedar o acesso às fêmeas do segmento conquistador, ao mesmo tempo em que se promove uma vigorosa política de agressão sexual contra as mulheres do segmento subalternizado, produz resultados assombrosos em um período relativamente curto, às vezes inferior a três gerações. A capacidade que tem os machos de todas as espécies de fecundar centenas de fêmeas no período de um ano representa uma arma eficaz de destruição da coesão étnica ou racial de uma população-alvo conquistada.

Essa ideologia chamada de sexismo foi agravada, segundo Alves (2008), quando as mulheres negras constituíram o segmento cuja ideologia do macho versou desde a exploração sexual exercida pelos senhores brancos no período colonial à manutenção de estereótipos sexualizados, mitificados em discursos cotidianos do Brasil republicano de cura de doenças contagiosas após relações sexuais com mulheres negras. Sem dúvida, um histórico de abuso ao segmento negro da sociedade brasileira denunciando o sexismo enquanto ideologia que expõe as mulheres negras de forma mais alarmante a determinadas violências de gênero.

A eficiência sexista enquanto ideia hegemônica está a serviço do poder branco-burguês, e vem sendo aperfeiçoada nas diversas instituições de saber-poder, como as escolas, a polícia, a família, as organizações religiosas, a mídia e a justiça. E são essas ocorrências na vida das mulheres que nos levam à escolha teórica de colocarmos o sexismo e o racismo institucionais, ambos, como as mais evidentes manifestações ideológicas de fracasso político do Estado, no sentido gramsciano (2000) de Estado

2. A CRIMINALIZAÇÃO DAS MULHERES CONDICIONADA PELO RACISMO E PELO SEXISMO

ampliado (sociedades política e civil), na missão de regular as desigualdades sociais, contribuindo, dessa forma, para que os grupos em situação de vulnerabilidade, as mulheres encarceradas, não persistam com estereótipos de fracassadas sociais.

Na mesma face dessa compreensão, no patamar de análise sobre o sexismo, temos na visão de Silvério (2001) o racismo institucional, conceito cunhado exatamente quando os escritores Carmichel e Hamilton, estudantes ativistas afroamericanos, publicaram o livro *Black Power* em 1968, apresentando uma análise que se tornou "influente para a estratégia política dos negros nos Estados Unidos da América". Segundo Silvério, Stokely Carmichel e Charles Hamilton abordaram esta categoria de racismo como "a predicação de decisões e políticas sobre considerações de raça no propósito de subordinar um grupo racial mantendo o controle sobre ele" (2001, p. 13). Para Silvério, Carmichel e Hamilton distinguiram entre o racismo aberto e individual do racismo encoberto institucional, descrevendo esse segundo como colonialismo interno. O primeiro foi definido em referência a ações específicas praticadas por indivíduos e o último como aqueles comportamentos poucos atenciosos dos servidores públicos, que vêm a manter o povo negro em uma situação de desvantagem e que conta com ativas e efetivas cooperação, ações e práticas dos antinegros.

O governo brasileiro, por meio do Programa de Combate ao Racismo Institucional-PCRI (2007), incorporou o termo racismo institucional à conjuntura brasileira em virtude da Conferência das Américas, advindo do contexto preparatório da III Conferência Mundial contra o Racismo, realizada pelas Nações Unidas em Durban, no ano de 2001, a qual se propunha criar mecanismos de enfrentamento das desigualdades raciais, tendo como maior impulsionador dessa reversão o Estado e seus servidores.

A compreensão conceitual do racismo institucional visa oferecer subsídios para o enfrentamento do racismo dos profissionais exercido no cotidiano das instituições brasileiras. A filiação teórica do PCRI não é a mesma formulada por Carmichel e Hamilton, e, sim, aquela criada no contexto britânico articulado e consensuado politicamente por um intercâmbio com a Comissão de Igualdade Racial do Reino Unido sobre as práticas institucionais, por sua vez também abordadas por Sampaio (2003) ao mencionar que os preceitos jurídicos, de um lado, e os princípios, doutrinas da administração pública, de outro, podem se constituir em instrumentos poderosos para o desenvolvimento do conceito, a articulação política e a implementação de combate ao racismo no ponto mais sutil e mais perverso no Brasil; nos aspectos imateriais e não palpáveis das práticas institucionais (2003, p. 3).

Para Fernando Luis Machado (2000), nas instituições os discursos explicitamente racistas são modificados de forma a eliminar aparentemente o conteúdo opressivo, mas transportam o sentido originário. O autor fortalece a consistência conceitual da formulação de Carmichel e Hamilton (1968) ao defender a intencionalidade das instituições no atendimento discriminado aos usuários de seus serviços, a partir da dimensão racial. Sendo as instituições racistas, as diferenciações no atendimento de categorias étnicas apartadas socialmente constituem, portanto, a finalidade desses órgãos.

Com o Programa de Combate ao Racismo Institucional (PCRI, 2007), o racismo institucional é definido como o fracasso das instituições e das organizações em prover um serviço profissional e adequado às pessoas em virtude de sua cor, cultura, origem racial ou étnica. Essa modalidade de racismo se manifesta em normas, práticas e comportamentos discriminatórios adotados no cotidiano de trabalho resultantes da ignorância, da falta de atenção, do preconceito ou de estereótipos racistas, que coloca determinados segmentos raciais e étnicos em situação de desvantagem no acesso aos bens e serviços gerados pelas instituições.

2. A CRIMINALIZAÇÃO DAS MULHERES CONDICIONADA PELO RACISMO E PELO SEXISMO

Vale frisar que as instituições nessa abordagem são entendidas, no sentido amplo conceitual, enquanto organizações públicas, privadas, autônomas ou não governamentais, que atendem às necessidades da população, devendo combater práticas que geram desvantagens a determinados grupos étnicos ao acesso a bens e serviços.

Percebe-se desse conceito moderado utilizado estrategicamente pelo Estado, a fim de haver o reconhecimento por parte dos servidores sobre a falta de atenção, preconceitos inconscientes no exercício profissional ou ignorância produzindo opressões, um silogismo malfeito, havendo aí a omissão de que as razões ideológicas das instituições são norteadoras das práticas profissionais. Esse arcabouço teórico utilizado no Brasil tocando o racismo institucional compreende que na prestação dos serviços estão profissionais. Antes de serem servidores da população usuária, são pessoas com suas próprias visões de mundo, seus preconceitos, suas limitações por vezes interferentes na forma como asseguram os direitos ou demandas apresentadas por determinados segmentos étnicos.

Uma instituição pode ser fundada sobre princípios de liberdade, igualdade, laicidade, antirracismo e antixenofobia e exercitar o inverso, pois quem cumpre o papel de materializar esses conteúdos institucionais são os indivíduos autorizados pela instituição. Se os servidores são incapazes de prestar serviços profissionais de forma adequada e atenta às especificidades de categorias raciais, significa que a instituição está praticando racismo institucional, porque ações particulares comprometem a missão da instituição.

A instituição pode possuir no seu quadro funcional profissionais de saúde que desconhecem a predileção de doenças em determinadas camadas étnicas, ou ignorem a majoritariedade da população negra sujeita a determinadas vulnerabilidades. Esses servidores serão incapazes de propiciar um atendimento adequado aos usuários negros quando estes apresentarem demandas relacionadas à raça negra, como uma anemia falciforme, hipertensão, diabetes, glaucoma. Agora, essas prevalências numa prisão certamente devem ser invariavelmente desastrosas, visto a penitenciária ser um espaço distante do maior monitoramento dos grupos sociais interessados na política equitativa em saúde, e se constituir em um lugar de verdadeira penitência das mulheres.

Um diagnóstico de anemia falciforme, por exemplo, pode ser confundido com outra degeneração sanguínea, apenas porque o médico branco nunca se atentou ou não foi formado academicamente quanto às especificidades em saúde, que não são aquelas identificáveis ao segmento étnico-racial do qual esse profissional descende. Uma escola pode reforçar estereótipos raciais na história dos negros no Brasil, estritamente por desconhecer a Lei nº 10.639, de 9 de janeiro de 2003, de ensino sobre a contribuição negra na formação da sociedade brasileira.

Esse quadro de vulnerabilidade da população negra atesta que no Brasil há um problema que ultrapassa a questão de classe e que é agravado pela condição de gênero, tendo vínculo direto com a forma em que as instituições veem as pessoas negras no momento em que elas requerem o atendimento de serviços. Pois, se houvesse uma exclusão de atendimento considerando meramente o sexo dos usuários, tanto as mulheres negras como as não negras em situação de pobreza estariam na mesma estatística de mortalidade.

A inovação teórica dessas terminologias voltadas ao tratamento dispensado pelas instituições tem fundamento no fato de nelas os conteúdos segregatórios manifestados por meio dos comportamentos preconceituosos deixarem nesse enfoque de culpabilizar somente os indivíduos pela prática discriminatória. Passam a compartilhar com as instituições a intencionalidade dessas posturas discriminatórias no

2. A CRIMINALIZAÇÃO DAS MULHERES CONDICIONADA PELO RACISMO E PELO SEXISMO

atendimento prestado por seus servidores às mulheres e aos negros, colocando consequentemente esses grupos em condição de desvantagem social.

O Estado, como já foi dito, é o ente que regula as relações sociais; logo, não importa se as práticas sexistas e racistas são provenientes de ações particulares de seus servidores públicos, mas sim o fato de que produzem um fracasso institucional, na medida em que seus servidores deveriam ser preparados à prestação de serviços, de maneira adequada e indistinta, amiúde a evitar o acirramento das já citadas distorções sociais. Posto esse quadro, a vontade teórica de se produzir conhecimentos sobre essa problemática de opressão às mulheres, estabelecidas no interior das instituições de privação de liberdade, pode incidir em políticas públicas para as encarceradas.

De acordo com Ferreira (2004, p. 6) em seu artigo, "sexismo institucional está associado às práticas de exclusão promovidas por organismos que impõem às mulheres certas barreiras, impedindo-lhes assim de ter as mesmas oportunidades que os homens em situações de trabalho, na política, dentre outros". No caso das prisões, a recusa de direitos consagrados é exercida sem repercussão social, dado o afastamento do público aprisionado para as relações sociais abrangentes.

Na instituição prisional existe um mecanismo de adequação para um comportamento essencializante e profícuo. Creio ser por esta razão que Naila Kabeer (1999) oriente voltarmos a nossa atenção ao comportamento das instituições, observando as relações de gênero, sendo relações de poder, de impacto direto nas políticas públicas, mantendo ou questionando a ordem instituída desfavorável às mulheres, posto a cultura das instituições serem reforçadoras da concepção do conteúdo de gênero, chamado por Kabeer de "um conjunto de normas, valores, costumes e práticas através das quais a diferença biológica é potencializada em desigualdades sociais" (1999, p. 7).

Acrescenta-se em Davis e Dent (2006), feministas conhecidas pela produção intelectual sobre as instituições prisionais e as respectivas práticas discriminatórias em nível global, o contexto sexista no qual o gênero engendrado nas prisões masculinas sobressalta a violação da masculinidade do homem preso, por meio de violências institucionais produzidas por guardas ou outros servidores públicos, capacitados em classificar e separar racialmente os internos. Já no caso das prisões femininas, segundo as autoras, há uma ideologia alimentando as políticas de controle sexual, definindo regras contra a integração racial dos grupos humanos, prevenindo relações lésbicas inter-raciais.

A prisão, na perspectiva das mulheres, precisa ser analisada na contemporaneidade sobre alicerces interseccionais, pois nela reside um aspecto de sexismo e racismo institucionais em concordância com a inclinação observada da polícia em ser arbitrária com o segmento negro sem o menor constrangimento, de punir os comportamentos das mulheres de camadas sociais estigmatizados como sendo de caráter perigoso, inadequado e passível de punição.

Em relação à Justiça, observa-se a partir de Adorno (1996) um excesso de eficácia burocrática e inoperância, conciliadas para a obstrução do acesso das negras e dos negros à assistência judiciária fornecida pelo Estado. Concordo com o autor que a Justiça teria que funcionar bem para ser reconhecida como uma instituição que cumpre o seu papel de prestar serviço equânime, porém, seus expedientes administrativos têm a cor da pele das mulheres como um "poderoso instrumento de discriminação na distribuição da justiça", visto que brancas e negras não são iguais perante as leis, devido aos seus diferentes marcadores sociais.

Adiante, temos a exclusão social sendo agravada pela musculatura lombrosiana do sistema penal. Pois as mulheres brancas, mais que as negras, possuem uma condição de classe que as permite acessar de forma satisfatória advogados, promotores de

2. A CRIMINALIZAÇÃO DAS MULHERES CONDICIONADA PELO RACISMO E PELO SEXISMO

justiça e demais operadores do direito, enquanto as negras são majoritariamente pobres, não escolarizadas e não profissionalizadas. É de causar estranhamento, segundo Adorno (1996), a velocidade com que as sentenças de condenação atingem os indivíduos negros quando comparadas aos indivíduos brancos.

Portanto, enxergar os enredos colonialistas voltados às mulheres aprisionadas é um caminho importante para os estudos feministas, possibilitando reconhecer o desempenho ideológico do patriarcado sob parâmetros de gênero e raça, nos quais esses indicadores sociais encontram maior liberdade para desempenhar suas funções de opressão.

3. A PRISÃO NA PERSPECTIVA DA INTERSECCIONALIDADE DE GÊNERO, RAÇA E CLASSE

O AUTOR DAVID GARLAND (1999) alerta que a prisão, ao contrário de outras áreas da vida social como a religião, a indústria ou a família, não constitui um objeto de intensa investigação sociológica, nem mesmo como processo racional para a formação de uma disciplina tal qual é concebida atualmente no processo acadêmico.

Os estudos no campo da execução penal foram abordados como aspectos de um projeto intelectual ambicioso e distinto, e não como uma contribuição para a sociologia da punição em si. Com efeito, nesta etapa discursiva acerca dos estudos prisionais e da punição interessa-me a contribuição pujante deste autor, bem como as contribuições entrecruzadas ao marcador de raça presentes nas contribuições de Carlos Aguirre.

Ao olharmos a punição na história e as práticas do castigo, logo identificamos as distinções e os significados culturais funcionando na esfera penal e estruturando a política penal conforme as suas condições (GARLAND, 1999, p. 236). Por essa razão, segundo esse autor, tanto Durkheim como Foucault, por exemplo, consideraram isoladamente a punição como sendo uma chave que pode destravar um texto cultural e amplo, numa natureza de solidariedade social ou de poder disciplinar.

Desse modo, pelo menos quatro perspectivas teóricas dentro da sociologia da punição estão em curso. De acordo com

3. A PRISÃO NA PERSPECTIVA DA INTERSECCIONALIDADE DE GÊNERO, RAÇA E CLASSE

Garland, três delas, inclusive, já consolidadas e a quarta encontra-se no estágio de emergência. A primeira é a tradição durkheimiana resguardada nas raízes morais e sociopsicológicas da punição e nos efeitos da solidariedade para com o resultado. A outra se concentra nos estudos marxistas com problematizações voltadas aos papéis da punição como um processo de regulação econômica baseada na divisão de classe social. Ao ampliarmos esse horizonte de crítica da literatura penal, concluímos que nas obras de Michel Foucault a punição disciplinar atua como um mecanismo de poder-saber dentro de estratégias mais amplas de dominação e submissão, enquanto no trabalho de Norbert Elias o castigo se insere em uma análise da mudança cultural na sensibilidade e na mentalidade (GARLAND, 1999, p. 250).

Como é crucial para mergulharmos no universo prisional, até avançarmos ao aprisionamento feminino, revisitar o autor Émile Durkheim subsidia os estudos sobre punição, posto a evolução penal das leis no entendimento do autor ter a punição dos crimes como uma instituição social em primeiro lugar e, em última análise, questão de moralidade e solidariedade social.

Durkheim alega que os crimes são aqueles atos violadores da consciência coletiva – a "paixão é a alma da sentença" e a vingança é a principal motivação subjacente aos atos punitivos, visto "o castigo que implica a privação de liberdade e apenas isso, e por tempo que varia conforme a gravidade do crime tende crescentemente a ser o tipo mais normal de sanção" (2009, p. 642). Para ele, as sociedades inferiores ignoram a privação de liberdade quase que por completo (por privilegiarem castigos cruéis, suplícios e as penas capitais).

Assim como a explicação de Durkheim, segundo Garland, a teoria marxista também oferece uma abordagem e uma explicação holísticas da vida social para o crime. Nesta, a sociedade aparece como tendo uma estrutura definida e organizada, com dinamicidade chave para moldar as práticas sociais específicas e as áreas de ligação da vida social, especialmente na dimensão política e econômica. Dentro dessa formação determinantemente social, estruturada, da organização do modo de produção, a atividade econômica organiza, controla e ajusta o resto da vida social, visto que de fato a base econômica dessa esfera da atividade produz as satisfações materiais da vida e toma um lugar importante em qualquer sociedade.

Os grupos que dominam essa área da satisfação material então são capazes de impor seu poder às diferentes relações, exigindo poder social e econômico para outras áreas da vida social. A construção marxista, organização estrutural da sociedade em que o modo de produção é vital, encontra-se determinada pelas relações econômicas expressas naquela ladainha de estrutura e superestrutura, conhecida e limitada pelos estudiosos do pensamento de Marx.

De fato, a formulação marxista transmite perfeitamente a ideia da economia como fundamento básico para a construção da "superestrutura" da política ideológica e, simultaneamente, mostra que as formas ideológicas têm um efeito real na formação da vida social, dependente da estrutura subjacente das relações produtivas. Tais relações econômicas, por sua vez, fornecem o apoio baseado em superestruturas e determinam seus alcances em áreas sociais.

Não sendo um achado teórico conclusivo, a fragilidade das formulações provenientes de releituras marxistas não alcança as prisões explicitamente, no final do século XVIII, e vem mostrando o fracasso das reatualizações sobre o pensamento de Marx, ao potencializar um caráter estritamente economicista das prisões. Por sua vez, é uma explicação indispensável à visão sobre a regulação das desigualdades sociais por via da expropriação do trabalho, denotando também a incapacidade do Estado para quaisquer benefícios sociais; considerando o caráter do trabalho de pessoas encarceradas como parte do regime de privação de liberdade, relacionando aí a exploração da mão de obra, mas não se atentando que a geração de renda é comumente subordinada a outras condições, tais como disciplina, vontade administrativa e outros capitais da população encarcerada, que não somente o econômico. Baseando-me ainda na concepção de David Garland (1999), os símbolos e as mensagens sociais que transmitem para a ação penal pública que adere à lei ajudam a moldar a trama das instituições penais.

No seu entendimento sobre o impacto do elemento classe para a punição, é desconsiderada a atitude popular em relação à questão da penalidade, além dos arquétipos e das evidências socialmente construídos, sugerindo o amplo apoio da classe pauperizada às políticas punitivas. Uma dimensão que, certamente, nos obriga a questionar a respeito de qualquer olhar apressado e reducionista do conflito de classes que afete o sistema de justiça criminal.

Valendo-me da integral concordância a Garland, tocante ao direito penal e à punição como objetos de análise componentes do processo de exploração da mão de obra carcerária, sugere-se nas interpretações marxianas o entendimento da punição como sendo um fenômeno social multiderminado e com significados sociais expansivos aos requisitos técnicos de controle do crime. Tanto o crime como o castigo são indispensáveis à sociedade na medida em que desencadeiam a moralidade a qual Émile Durkheim (2009) tratou de "solidariedade", visto que a relação com o sagrado e com valores fundamentais garante a significação ao crime moral e requer uma resposta punitiva.

Retomando Émile Durkheim, ainda é validado o argumento de que existem violações dos valores morais reconhecidamente apreciados socialmente cujos crimes chocam a moral dos indivíduos. Podemos citar o infanticídio ou o aborto como dois comportamentos "imperdoáveis" na visão coletiva, enquanto alguns tipos de atos criminosos são "irrelevantes", não vistos necessariamente como afrontosos, a exemplo de uso de documento falso, roubo ou furto; no entanto, também são operados como sentimentos coletivos, negando, assim, a ligação absoluta colocada entre punição legal e moralidade coletiva. Mas o referido autor conserva essa dicotomia, argumentando que o Estado é o guardião dos sentimentos coletivos, possuindo em primeiro lugar a função de respeitar as crenças, as tradições e as práticas coletivas, isto é, defender a consciência comum contra todo o comportamento desviante, ferindo ele ou não a consciência coletiva. Sendo assim, o Estado é concebido como uma espécie de preposto de valores religiosos, encarregado de protegê-los e manter a fé, tornando-se o símbolo das crenças coletivas da sociedade, a figura representativa do consenso de toda a sociedade, para que os delitos contra os seus poderes sejam considerados crimes contra a sua consciência coletiva.

"Quanto mais respeito se tem a algo, mas horrível é uma falta de respeito" (DURKHEIM, 2009, p. 647). Segundo esse autor, temos sentimento de sacrifício aos nossos superiores; quando alguém igual comete infração, somos capazes de pensar uma resposta mais violenta. Essa lógica da empatia muda quando os crimes coletivos (religiosos) passam a ser menos importantes do que os crimes individuais – a sociedade, a família não são entidades transcendentes, mas grupos de homens e mulheres que centram esforços para realizar fins humanos. Os crimes, então, dirigidos a essa coletividade, integram todos os indivíduos diretamente, já as penas que castigam quem os comete são suavizadas.

Mas há variações, de acordo com Durkheim, sobre os castigos ao longo da história, de dois tipos: qualitativas e quantitativas, sendo que a intensidade do castigo é maior na medida em que a sociedade pertence a tipo organizativo menos desenvolvido (o que não é o caso brasileiro), e na medida em que o poder central tem um caráter mais absoluto.

3. A PRISÃO NA PERSPECTIVA DA INTERSECCIONALIDADE DE GÊNERO, RAÇA E CLASSE

Compreendamos nessa conclusão durkheimiana que as sociedades ignoravam a privação de liberdade quase que por completo, privilegiavam os castigos cruéis, os suplícios e as penas capitais; interessante é que somente nas sociedades cristãs as prisões efetivamente se desenvolveram, em princípio como modo de vigilância, e depois como prisão propriamente dita. Já as variações qualitativas dependem em parte das variações quantitativas; a primeira contribui para a explicação da segunda, sendo que a lógica é a suavização das penas à medida que se aponta para sociedades mais complexas.

E se por um lado fomos condicionadas a odiar as penas cruéis e repugná-las, parece que também cresce nosso repúdio frente a crimes cometidos com atrocidade, crueldade e grande violência quando praticados por mulheres contra bebês no ventre, idosos, maridos violentos e incapazes. Se nosso altruísmo nos permite não querer ver severas punições, a lógica inversa é a mesma. A simpatia recai mais sobre a vítima do que sobre o agressor, tanto que no caso dos crimes praticados por mulheres, em revide, na maioria dos casos das violências de seus companheiros, ainda assim, a sociedade se confunde em identificar a primeira vítima, rechaça a legítima defesa da mulher delituosa, criando estratégias a partir das lacunas do código penal, para racionalizar o contexto do crime, sem maiores reflexões sociológicas.

A racionalização e a burocratização, ambos conteúdos weberianos, para Garland (1999), estão presentes na forma de castigo há séculos. Assim, é constituída uma espécie de rede administrativa de adesão de profissionais aos procedimentos de penalização. A uniformidade com a qual os castigos são exercidos a partir do século XIX se dá em virtude das formas administrativas racionalizadas e da ascensão das especializações profissionais, médicas e terapêuticas para a administração do poder de punir, pontua esse autor. Indaga-se o raciocínio sobre como a ascensão desses saberes ao poder de punir fracionou esse poder e como, desde 1980, tornando-se cada vez mais frequente recorrer aos profissionais antes distantes dos processos penais, e hoje indispensáveis para as decisões dos juízes, a fim de dividir a responsabilidade.

Uma parábola descritiva referente à racionalização para a fragmentação de competências profissionais pode se apresentar no caso de uma assistente social emitir para o magistrado um parecer sobre o perfil de uma mulher violentada como sendo promíscua e indecente, justificando dessa maneira o estupro; ou de uma psicóloga cedendo o laudo de distúrbios psicossociais desse homem violento, até que por último o juiz conceda a sentença da punição a partir de seus valores patriarcais, possuindo ressalvas amparadas a partir dos laudos dos profissionais envolvidos nesse contexto. Importante destacar que a adoção desses saberes às decisões penais não é exatamente uma delegação, muito menos um deslocamento do poder punitivo, mas sim um fracionamento do poder de punir em nome de uma racionalidade "punitiva".

No lugar de serem meros executores das decisões judiciais e do sentimento público, as burocracias penais e suas equipes de trabalho conformam uma forte estrutura institucional com seus próprios poderes para influir em decisões e definir o verdadeiro caráter dos castigos (GARLAND, 1999, p. 221).

Na obra *Os anormais*, de Michel Foucault (2002), esse aspecto de confusão de atribuição dos poderes mais respeitados socialmente, respectivamente o saber da medicina e do direito, acaba por ridicularizar os profissionais dessas áreas e serve como parâmetro da estigmatização dos indivíduos como "monstros sociais", com aporte do biodireito julgando sobre a sanidade mental em matéria penal.

A obrigatoriedade de confissão requerida pela Igreja Católica conclui o paradoxo em torno de normalização e poder de julgar, frustrando as expectativas criadas pelos especialistas do

3. A PRISÃO NA PERSPECTIVA DA INTERSECCIONALIDADE DE GÊNERO, RAÇA E CLASSE

aparato criminal, descrentes da utilidade das instituições punitivas, sendo estes centros de tratamento terapêutico das pessoas criminosas. Nessa direção, Foucault e Garland, especificamente, concluem que a motivação real do Estado punitivo é instituir práticas discriminatórias e violentas e ser o perpetrador da vingança abordada por Durkheim.

A pena possui diálogo direto com a cultura. As leis e as instituições punitivas também se definem pela linguagem, discursos e sentimentos que necessitam ser compreendidos e interpretados para também se compreender o significado social e os motivos do castigo, porque o castigo pode ser compreendido como um elemento cultural que constitui uma sociedade. "As políticas penais estão moldadas por uma gramática simbólica de formas culturais, assim como pela dinâmica mais instrumental da ação social, de modo que, ao analisar o castigo, é preciso contemplar os padrões de expressão cultural" (GARLAND, 1999, p. 234).

Os sistemas penais modernos distinguem, por exemplo, adolescentes infratores de pessoas adultas e destacam as diferenças no tocante a gênero, raça, identidade sexual, fazendo distinções de tais elementos ao papel preponderante para a estruturação das políticas penais. No tocante à religião, Garland destaca que o trabalho desempenhado pelos reformadores penais teve influência significativa da convicção religiosa e da sensibilidade humanitária. Ressalta que a religião tem sido uma força decisiva nas formas de se tratar mulheres e homens delituosos ao longo da história. E lembra que a influência religiosa significa tão somente a autoridade do catolicismo, porque as religiões de matriz africana, como o candomblé e a umbanda, praticamente são açoitadas pela legal ausência de laicidade do Estado Penal, malgrado o art. 24 da Lei de Execução Penal mencionar que a assistência religiosa, com liberdade de culto, será prestada à pessoa presa, permitindo-lhe a participação nos serviços organizados no estabelecimento penal, bem como a posse de livros de instrução religiosa.

Pela lei, a garantia do princípio de laicidade do Estado prescreve para o estabelecimento penal a reserva de local apropriado para os cultos religiosos, e a garantia de que nenhuma pessoa interna poderá ser obrigada a participar de atividade religiosa.

Um engodo: a incidência das religiões neopentecostais ajuda a pensarmos na ausência de laicidade institucional e na antipatia com que as religiões de matriz africana são recepcionadas no âmbito carcerário.

Em oposição a esses direitos, no Conjunto Penal Feminino de Salvador do Complexo Penitenciário Lemos Brito, somente são bem recebidas as religiões neopentecostais e as pastorais católicas para a prestação de assistência religiosa, embora não haja nenhuma recomendação regimental para cerceamento de preferências religiosas. Os fatores internos organizacionais de cunho pentecostal, a visível prevalência de funcionários evangélicos e a facilidade de acesso das pessoas ligadas às religiões hegemônicas indicam total ausência de equidade e tolerância religiosa.

A justiça como aspiração cultural de igualdade e consenso sofreu relevantes mudanças, com repercussões na política criminal elegendo os códigos legais como parâmetro normativo das condutas desviantes (AGUIRRE, 2009, p. 66). O que entendemos por justiça excede a cultura, sobretudo ao avançar do século XIX, quando se proporcionou transformações políticas e mudanças no sentido de justiça. Os interesses viscerais de um modelo de poder deram um caráter cartesiano ao sentido de justiça, valendo-se de conceitos como uniformidade, proporcionalidade, equidade legal e a estrita aplicação das regras.

É importante notarmos como a "sensibilidade da sociedade" alterou a relação direta com o castigo. Essa percepção da tendência humanitarista relacionada à noção de um povo civilizado, moderno, discordante da ideia de assistir aos castigos, em tempo, os "suplícios", provocou a extinção do rito em que se seguia punindo os criminosos de maneira extremamente cruel e, portanto, intolerável. Sendo assim, as penas severas ficaram distantes do ideário civilizatório porque a conduta da mulher e do homem multiderminados foi inserida nos tipos de comportamento coletivo manifestado em práticas culturais e de rituais obscuros das instituições de privação de liberdade.

O castigo moderno passou a ser mal compreendido, não havendo uma orientação descritiva que articule, agora, os fundamentos sociais da punição de privação de liberdade com as formas modernas equivalentes a sua significação social. Nesse sentido, David Garland (2008) pensa o quanto seria favorável à sociedade esperar menos do castigo, concebê-lo como uma forma de política social caminhando para a minimização. O objetivo deveria ser socializar e integrar as/os jovens, segmentos mais expostos à violência letal, e não penalizá-los, mas a partir do momento que temos, no lugar de justiça social, uma política criminal, esta fica compreendida como a normativa socialmente legítima.

Ao ponderamos que o castigo é inevitável, deveríamos ser contemplados com uma tarefa eticamente expressiva da sociologia, para além de uma questão meramente instrumental e objetivada pelo direito penal. A punição moderna é ordenada institucionalmente e nega em seu discurso a violência, todavia a impregna em sua prática. É por essa razão que Garland (1999) sugere a compreensão da punição no sentido de construir uma reflexão sobre a cultura do controle penal, compreendendo aspectos como modo de ver e sentir, sensibilidades e conceito de justiça e moralidade, pois a punição exerce uma função que não é simplesmente "punir" em si, mas também simbólica ao sentido de crime/punição, de autoridade, de poder, de normalidade, de legitimidade, daí a importância de se analisar o todo e não apenas o binômio crime/castigo.

Quando voltamos atenção ao impacto social da pena, percebemos que os crimes passaram a ter uma lógica de severidade nos castigados, a depender diretamente do tipo criminológico e, em linhas gerais, expressar a maneira em que afeta a consciência pública; sendo na evolução do crime na visão durkheimiana que devemos buscar a causa determinante da evolução da pena.

Da penalização de mulheres há um chamariz astucioso no crescente aprisionamento feminino quando comparado ao dos homens, já que em relação ao tráfico de drogas, crime em ascendência cometido por mulheres, não se é provocado nenhum clamor social, entretanto, a pena é dura e em regime fechado. Por sua vez, os crimes contra a administração pública, cujos delituosos são homens, afetam toda a sociedade e quase sempre são suavizados com penas insignificantes (BECCARIA, 1998).

O abrandamento atual da pena se consolida na atual conjuntura, como sendo aquela não proveniente da perda de vigor das antigas instituições prisionais, mas sim porque foram substituídas por outros modelos punitivos (DURKHEIM, 1999, p. 651). Posto assim, trata-se de um sistema particular que se flexibiliza, é substituído por outro menos violento e menos duro ou, ao contrário, não deixa de ter suas severidades próprias e não está destinado a uma decadência, ainda segundo o olhar durkheiminiano, porque a sociedade não é criativa para pensar uma nova forma de se punir os crimes sem que precise existir a prisão.

Com efeito, os movimentos feministas tendem a um grande paradoxo: numa vertente temos as adeptas da feminista Angela Davis e de Julita Lemgruber defendendo a abolição da prisão por entenderem que esses instrumentos punitivos acirram o racismo e sexismo contra determinados grupos subalternizados, como mulheres negras, jovens e pobres, e portanto precisam ser substituídos por outra forma de penalização ou por penas alternativas.

3. A PRISÃO NA PERSPECTIVA DA INTERSECCIONALIDADE DE GÊNERO, RAÇA E CLASSE

Já as feministas pós-estruturalistas por certo sabem que a abolição da prisão findaria a punição cabível para os homens que matam, violentam e praticam toda a sorte de violência contra as mulheres, de modo exemplar sobre o assunto; instrumentos jurídicos como a Lei Maria da Penha estão aí consolidando a forma de punir através do aprisionamento.

Essas sentenças assinaladas de premissas verdadeiras, sem deixarem de ser contraditórias, com percepções distintas do campo feminista e dos estudos sobre mulheres e sua relação com a lei, são igualmente relevantes sobre o artefato prisional e corroboram o trabalho do contemporâneo Carlos Aguirre (2009), que se baseia no estudo das prisões na América Latina, em alusão ao fato de as unidades prisionais serem muitas coisas ao mesmo tempo (AGUIRRE, 2009). Aborda satisfatoriamente o caso brasileiro, sem se limitar às características arquitetônicas ou dos "porquês" de as pessoas delinquirem, voltando a sua atenção à importância crucial de estudos referentes ao impacto das prisões para a nossa sociedade, a partir das violências enraizadas de classe, gênero e raça, nos países em fase de desenvolvimento.

Em Aguirre, está disposta uma análise voltada a refletir como esse sistema de controle social, a prisão, resguarda interesses econômicos, utiliza-se da constante criminalização de populações raciais, esvaziamento territorial, rotineiras perseguições de indivíduos que, embora compreendidos como inaptos à sociedade, passam a servir como mão de obra barateada das empresas carcerárias (AGUIRRE, 2009). Nesse momento, são transportados ao status de aptidão para uma lógica austera, alimentada pelo racismo e sexismo, como dispõe a feminista Ângela Davis em suas produções.

Na visão de Aguirre, as prisões representam o poder e a autoridade do Estado; nelas há a resistência das classes subalternizadas, a apropriação cultural das internas(os), imbricadas aos interesses dos centros de conhecimentos ali instalados e das bases conflituosas entre as mesmas camadas institucionalizadas, perpassando por benesses sobre deduções raciais, de gênero, orientação sexual e classe, logo, endurecendo ou aliviando a estadia da pessoa internada na prisão.

Uma característica não menos importante em Aguirre é que essa mencionada expropriação da cultura do segmento internado será utilizada pelo Estado, a fim de reorientar os estereótipos sociais de inaptidão e culpabilização categóricas desses grupos humanos para o convívio em sociedade, visto a prisão macular a "ficha de cidadania" de seus egressos. Interessante na discussão de Aguirre é esse chamamento para o vasculhamento da história das prisões, apresentando as tensões, os conflitos ao longo dos séculos, que, sendo essas tensões estruturantes em nossa sociedade, acabam se retroalimentando na prisão enquanto "sociedade dentro da sociedade".

Dessa forma, nos apresenta opressões, resistências, disputas, discursos de interesses econômicos, sexismo, racismo, exploração de força de trabalho e regimentos estatais flagrantemente frágeis, relacionados à eficácia prisional na condição de produto cultural, de uma modernidade cujo pertencimento eurocêntrico de regulação social, via aprisionamento, reconhece a aberração do período colonial, porém a reinventa incessantemente (AGUIRRE, 2009). E que embora se pretenda pautada em princípios de civilidade e de bem-estar entre Estado e sociedade, apenas se sofistica em novos moldes de seletividade racial de mulheres negras (AGUIRRE, 2009).

Aquiesço ao autor que, embora a maioria dos países da América Latina tenha se tornado independente durante o período de 1810 e 1825, e nesse bojo exista vontade de ruptura com as estruturas marcadas pela hierarquização racial, concretamente do período colonial à república legal foram retroalimentadas as razões discriminatórias de aprisionamento, com inovações de controle laboral, criativos discursos institucionais de repressão,

3. A PRISÃO NA PERSPECTIVA DA INTERSECCIONALIDADE DE GÊNERO, RAÇA E CLASSE

sem o desvencilhamento do critério racial e de classe; a ponto de a Lei de Vadiagem, conhecida no contexto brasileiro por classificar como crime a mendicância e a ociosidade de indivíduos marginalizados, servir como indicador dessa bifurcação histórica, e se apresentar na modernidade fundada sob interesses de dominação pós-colonial (AGUIRRE, 2009).

Embora não merecesse atenção central por parte das autoridades coloniais, a desorganização, a insegurança e a falta de higiene presentes nessa época fossem tão absurdas como as da atualidade, havia uma diferença crucial na relação delito/cárcere: a prisão não era absoluta. As mesmas serviam apenas como lugares improvisados para a detenção de suspeitos à espera de julgamentos, ou ainda para condenados que aguardavam a execução da sentença. Tanto que o castigo e o controle social da colonização não tinham obsessão por esse espaço de privação de liberdade.

É por esse motivo que sequer havia registros dos detentos, data de entrada e saída, e, como insiste Carlos Aguirre, cada detenção formava um conjunto disperso de instituições, no qual as cadeias municipais e de inquisição era os improvisados postos policiais e militares, as casas religiosas para as mulheres abandonadas, os centros privados (padarias e fábricas) onde escravos e infratores eram recolhidos e sujeitados a trabalhos forçados, contando também com as fazendas de plantações reinventadas como unidades prisionais (AGUIRRE, 2009).

Assim, a descontinuidade da prisão é dada pelo fato de o encarceramento de populações específicas durante o período colonial ter sido uma prática social regulada pelo costume e não pela lei. A prisão cumpria o papel secundário de armazenar detentos, sem a implementação de um regime punitivo formal, buscando uma suposta reforma dos infratores. Esse apelo à modernidade liberal, republicana e de respeito ao Estado de direito na colonialidade veio na contramão, professando a viabilidade de controle sobre as massas indisciplinadas, imorais, antes escravizadas, como forma eficiente de controle social (AGUIRRE, 2009).

Atualmente, as formas extrajudiciais de castigo continuam sendo benquistas pela República e sua modernidade, sempre desejosa de conquistar a excelência das penitenciárias da Europa e dos Estados Unidos, com os respectivos padrões de encarceramento "pan-óptico", modelo idealizado por Jeremy Bentham, associado a uma rotina regimentada de trabalho e instrução, vigilância ininterrupta e ensino confessional às mulheres aprisionadas (AGUIRRE, 2009).

Em meados do século XIX, ainda dialogando com Aguirre, foram construídas penitenciárias modernizadas na América Latina, visando expandir a intervenção do Estado nos esforços de controle social, simultaneamente projetando uma imagem de modernidade advinda do referencial europeu, para eliminar castigos flagrantemente herdados do período colonial, oferecer às elites urbanas maior sensação de segurança, e enfim possibilitar a transformação dos desajustados ao convívio social em cidadãos disciplinados da lei. Agora, a tentativa de correção prometida pelas penitenciárias não propôs um alheamento dos marcadores de gênero e raça, para a conformidade do projeto ideológico das classes dominantes em consonância ao poder de Estado (AGUIRRE, 2009).

As penitenciárias propunham como elemento central de aptidão, para a ressocialização, a terapia punitiva. Para tanto, foram implantadas oficinas profissionalizantes sob vigilância e administração das autoridades privadas. Essas penitenciárias foram forjadas no Ocidente como elementos indispensáveis para a ordem patriarcal-capitalista. Sendo assim, o tempo dentro da prisão não visava, para a mulher, somente o ressarcimento da sociedade pelo delito cometido, a saber, injetar na cultura patriarcal valores interessantes para o grupo hegemônico, como

3. A PRISÃO NA PERSPECTIVA DA INTERSECCIONALIDADE DE GÊNERO, RAÇA E CLASSE

se fossem laboratórios de novas visões de mundo, próprias da modernidade republicana.

A relembrar que a própria concepção de penitenciária é uma terminologia ligada à penitência, recomendando a incorporação da fragilidade, docilidade, subserviência, expiação de pecados, moral cristã baseada num comportamento passivo e de aceitação da condição de mulher, em termos essencialistas.

O modelo político-econômico proposto pelo liberalismo foi a ideologia dos Estados crioulo-mestiços que, segundo Carlos Aguirre (2009), em países como o México e Peru, privaram autoritariamente a maioria dos povos indígenas e trabalhadores rurais do exercício da cidadania. No caso do Brasil, último país a abolir formalmente o regime colonial, a permanência da mentalidade escravocrata manteve as estratificações raciais, cujo pano de fundo também se equivale à reforma penitenciária prometida pela modernidade, elegendo, com certeza, a população negra de inferior, bárbara e irrecuperável, com a qual a casta superior não pode se misturar.

Os métodos policiais conhecidos visavam se perpetuar tão somente para manter uma ordem racial e laborativa, sem perder de vista o aprendizado da experiência escravocrata (AGUIRRE, 2009, p. 49). Por conta dessa vontade estatal, as detenções e perseguições policiais, após a extinção da escravização, ocorriam em grande maioria em áreas de produção de café e açúcar, como mecanismo exitoso de aprisionamento da população negra vivendo em condição de livre. Mencionam-se em Aguirre os suspeitos, pobres e negros, recrutados à força para o Exército, empregada nessa conjuntura como instituição penal, durante a segunda metade do século XIX.

Enfim, as reflexões de Carlos Aguirre (2009) são pertinentes por situar as prisões e os castigos usados pela sociedade desde o trabalho escravizado à modernidade, fornecendo-nos a orientação punitiva para o fortalecimento da economia de exportação. O sistema carcerário latino-americano, além de manter um controle racial, laboral e social, propunha satisfazer a necessidade das classes privilegiadas em esvaziar o território negro, dentro de um projeto ideológico de liberalismo autoritário, integração ao mercado mundial, desenvolvimento das economias de exportação, aumento da segregação indígena e negra, aliados à imigração europeia para branqueamento populacional por meio de instrumentos eugenistas como a Lei de Terras de 1850.

O racismo legalizado pelo Estado também se respaldou na instituição de leis para dificultar qualquer tentativa da população negra em sobrepujar a nova exclusão instaurada após a extinção do período escravocrata. Aliado a esses contextos de perseguição, de acordo com Silva (2008), o Código Penal republicano reduziu a maioridade penal de 14 para 9 anos de idade. No século XXI, a sociedade brasileira se orgulha de seu Estatuto da Criança e do Adolescente, criado em 1990 para assegurar os direitos das crianças e dos adolescentes, porém, pouco mais de um século antes, a sociedade possuía uma lei que criminalizava as crianças, em especial as crianças negras, na condição de indivíduos não merecedores da proteção integral do Estado.

Um aspecto menos discutido nos trabalhos contemporâneos é o confinamento de mulheres, cuja única inovação implantada pelos países latino-americanos durante a segunda metade do século XIX foi a criação das penitenciárias femininas. Uma iniciativa dissociada da preocupação do Estado com o fato de as mulheres serem detidas em cárceres masculinos com os constantes abusos, maus-tratos e violência de toda natureza. A atenção esteve voltada ao fato de a implantação das casas de correção e prisão de mulheres proverem os grupos filantrópicos e religiosos liderados por irmãs religiosas (AGUIRRE, 2009, p. 57).

3. A PRISÃO NA PERSPECTIVA DA INTERSECCIONALIDADE DE GÊNERO, RAÇA E CLASSE

Na visão desses organismos sexistas e de suas formulações distorcidas de gênero, enquanto funções obrigatórias de um sexo seria possível desabrochar nessas mulheres a inofensividade, necessitando, assim, de um ambiente amoroso e maternal. O Estado permitia as prisões das mulheres à revelia da lei, com reclusão sem mandato judicial. As instituições religiosas abrigavam majoritariamente esposas, filhas, irmãs e criadas de homens da classe média e alta, que buscavam castigá-las, supostamente por serem subversivas aos papéis impostos pelo patriarcado.

Eram prisões guiadas pelo modelo de convento, as internas eram tratadas à base de oração, maus-tratos das monjas, castigo físico, obrigatoriedade de afazeres domésticos e trabalhos entendidos como de mulher: ser trabalhadora doméstica, costurar, lavar, cozinhar para famílias decentes como tratamento terapêutico, pois a punição mais "dura" era para os homens; no caso das mulheres era a falta de inteligência que havia norteado o comportamento delituoso, conforme Aguirre (2009).

A principal ânsia das elites, portanto, era transformar as suas sociedades em países modernos e civilizados; para isso, precisavam excluir do convívio social os segmentos populacionais à margem da lei, por esses não haverem incorporado a lógica do capitalismo, e coincidentemente serem segmentos não brancos.

Restou como tática importante ao terreno da criminologia científica importar da Europa as explicações lombrosianas de existência de criminosas e criminosos natos, fazendo com que tais postulados positivistas fossem incorporados aos códigos e às leis ao dar uma noção de periculosidade a perfis raciais de mulheres e homens.

A produção "criminosa" de conhecimento sobre periculosidade no Brasil teve como expoente máximo o médico baiano Nina Rodrigues, responsável por assumir achados de cientificidade a partir da combinação de fatores biológicos com culturais, resultando em classificação das condutas e perfis fenotípicos de grupos negros, pobres, não escolarizados como sendo um tipo criminoso (RODRIGUES, 1899). As ideologias socialistas e anarquistas semelhantemente foram tratadas como fonte de desordem, então de delito; as alternativas estatais de branqueamento populacional entraram em curso; a reforma urbanística e o extermínio de negros e indígenas foram patenteadas pelas teorias evolucionistas.

A questão racial, sendo assim, sempre foi um grande entrave para a cidadania dos negros e dos indígenas na América Latina. A administração das prisões na modernidade manteve em sua organização institucional as divisões e as tensões raciais para a distribuição de privilégios como ocorrem em dias atuais nas macrorrelações sociais. Entretanto, as motivações raciais para o encarceramento e, por conseguinte, o endurecimento penal para determinados grupos humanos resguarda um estigma de identificação, por se tratarem de indivíduos de baixa renda (AGUIRRE, 2009).

Ouso especular, a partir dessa contribuição de Aguirre à *História das Prisões no Brasil*, que somente os presos políticos, vistos na perspectiva racial, receberam da instituição tratamento distinto. É por essa razão que a resposta criminal do Estado aos "movimentos sociais, políticos e trabalhistas radicais" (AGUIRRE, 2009, p. 66), contestadores das oligarquias, era conduzir seus membros à condição de presos políticos, os quais, em sua maioria branca e de classe média, não teriam o mesmo tratamento institucional punitivo, nem condições identitárias de pertencimento a grupos que sofrem por via da prisionização (SYKES, 1999). Também Lemgruber (1983) ressalta a distinção no tratamento dispensado às mulheres presas políticas com direito a visita íntima desde a década de 1970, ao contrário das presas comuns cujo direito, ver-se-á neste trabalho, ainda lhes é negado.

3. A PRISÃO NA PERSPECTIVA DA INTERSECCIONALIDADE DE GÊNERO, RAÇA E CLASSE

Esses mesmos grupos distinguidos por classe, raça e sexualidade negativadas, além de constituírem culturas distintas (AGUIRRE, 2009), nas galerias das celas são diferenciadas como "Corpos" (LEITÃO: 2001)[11] em razão das afinidades identitárias. Vêm a ser caracterizados por suas tatuagens e gírias demarcantes da cultura prisional alicerçada no processo de aculturação, de incorporação dos valores e sociabilidade prisionais, aumento da exposição para a vulnerabilidade, ao mesmo tempo servindo de mecanismos de resistência. A tortura na prisão tinha um caráter mais disciplinador do que levar ao processo de prisionização.

Sobre o fato de nos espaços onde há opressão existir na mesma potencialidade a resistência ao aculturamento, Foucault (1997) informa que reside na prisão uma espécie de tecnologia de biopoder, disposta a não matar, mas a deixar que as pessoas encarceradas morram. Simultaneamente, nos chama atenção para fatores históricos da aplicação da sanção, trazendo à tona que, apesar de no regime penal da idade clássica ter existido as formas de punições versadas desde a expulsão das fronteiras, conversão do delito em obrigação financeira e enclausuramento, esta última forma de pena, a privação de liberdade, não é um ordenamento jurídico do século XVIII (1780-1820).

Antes, segundo Foucault, as forcas, os trabalhos forçados, os cadafalsos e os pelourinhos eram nomes distintos do mesmo castigo correcional e suplício. Somente o detalhe que nesse período o judiciário tinha maior controle da pena, entretanto, a punição neste momento, por meio do encarceramento, desobriga ao poder judiciário aplicar e conjuntamente controlar as penas, sob a justificativa de o papel da justiça estar inserido no ritual de homogeneização das pessoas delituosas. Uma justificativa falsa,

---

11 No Complexo Penitenciário Lemos Brito, em Salvador, as Unidades prisionais são chamadas de "Corpos", enquanto que na implodida Casa de Detenção do Carandiru, em São Paulo, eram Chamadas de Pavilhões (LEITÃO, 2001, p. 9).

pois os capitais sociais dos indivíduos os diferem na forma como são tratados pela justiça: de maneira distinta, heterogênea, sendo mulher, negro, homossexual, pobre, de camada média ou abastada, numa orquestra promissora de manutenção de preconceitos da criminologia imersa no ciclo vicioso de retaliação e rigor da justiça subsidiada pelo poder político.

Cesare Beccaria (1998), no capítulo VI do clássico *Dos Delitos às Penas*, explica essa contradição presente na lei, teoricamente homogênea, sendo principiada, na visão do autor, a partir da injustiça, por nela não haver uma mão única de estabelecimento de maneira fixa das penas antes de se constatar a materialidade do crime. Vale retratar as mulheres e os homens pobres apresentados na mídia como perigosos, marginais, assassinos e frios, sendo sentenciados pela opinião pública sem ao menos a submissão da apreciação da lei, nas quais as investigações mais sérias logo percebem a acusação gratuita com finalidade sensacionalista do mercado criminológico-televisivo. Após o aprisionamento, na visão de Beccaria, não deveria se deixar nenhuma nota de infâmia sobre o acusado cuja inocência foi juridicamente reconhecida. Contudo, ao contrário do disposto,

> O sistema da jurisprudência criminal apresenta aos nossos espíritos a idéia da força e do poder, em lugar da justiça; lançam, indistintamente, na mesma masmorra, o inocente suspeito e o criminoso convicto; é porque a prisão é bárbara, é antes um suplício que um meio de deter um acusado (BECCARIA, 1998, p. 40).

O suplício permanece sendo destinado aos indivíduos que cometeram os crimes mais leves; delitos contra o patrimônio de outrem, por exemplo, enquanto na divisão dos crimes, aqueles contra a administração pública na visão de Beccaria, ou crimes contra "lesa majestade", são mal interpretados pelo magistrado, visto não haver no julgamento um olhar para o mal causado a

3. A PRISÃO NA PERSPECTIVA DA INTERSECCIONALIDADE DE GÊNERO, RAÇA E CLASSE

toda a sociedade. Conforme o autor, a resultante do espírito da lei é a "boa ou má lógica de um juiz, de uma digestão fácil ou penosa, da fraqueza do acusado, da violência das paixões do magistrado, de suas relações com o ofendido, enfim, de todas as pequenas causas que mudam as aparências e desnaturam os objetos no espírito inconstante do homem" (1998, p. 34) no limite da lógica ineficaz, ao propósito da contenção de novos crimes, os meios que a legislação emprega para impedir delitos deveriam ser mais fortes à medida que o delito é mais contrário ao bem público.

Na prisão, no aspecto de intervenção na distribuição espacial, analisado por Foucault (1997), reside o maior dos impactos no território de identidade populacional. As pobres, negras, jovens, de modo comum, não são tratadas como cidadãs pela assistência social e são rejeitadas no mercado de trabalho, pois o capitalismo racista não tem condição de incluir todos os segmentos humanos. Excluídas, dessa forma, optam, como recurso político, por utilizar táticas de sobrevivência social, legalmente consideradas como criminosas. Daí o fenômeno do encarceramento em massa, diferente dos crimes de indivíduos brancos, homens, de classes abastadas, assaltantes dos cofres públicos e danosos à consciência coletiva, mas em grande maioria poupados da pena de encarceramento.

Em *Vigiar e punir: o nascimento das prisões* (1996), Foucault trata da evolução histórica da legislação penal, apresentando os detalhamentos das mudanças genealógicas da justiça, que antes tinham como alavanca de aplicação de castigo o corpo da pessoa criminosa submetido a vários expedientes de tortura, levantado diante do corpo do soberano.

Recentemente, a punição é uma vigilância contínua sobre o corpo do infrator, em regime de privação de liberdade, para a conformação do "sujeito disciplinar" por meio de prisão com vigilância ininterrupta. A vantagem de agora é inexistir um grande público para apreciar ou repudiar os rituais de penalização exercidos no âmbito prisional, comportando saberes de docilização, utilidade, racismo e sexismo por meio do modelo pan-óptico, o qual enxerga a todas e todos encarcerados, esquecendo, entretanto, que também toda a população encarcerada está olhando para os guardas. Exemplifico com os casos de agentes penitenciários feitos reféns nos motins das prisões. Esses levantes são precedidos de ampla observação do sistema pelas encarceradas.

Segundo Foucault, o pan-óptico de Jeremy Bentham é uma figura arquitetônica caracterizada por uma construção em anel; no centro, uma torre. Uma estrutura de poder disciplinar, ao mesmo tempo responsável por modificar o comportamento da pessoa presa, treiná-la e docilizá-la. Uma estrutura organizada em unidades espaciais que permitem ver ininterruptamente os internos. Seu objetivo maior é induzir na pessoa presa um estado consciente e permanente de visibilidade, que assegura o funcionamento automático do poder.

Fazer com que a vigilância seja permanente em seus efeitos, mesmo sendo descontínua em sua ação. Com esse modelo de confinamento as pessoas internas se encontram presas numa situação de poder, de disciplinamento de corpos, a qual é exercida por elas próprias, pessoas encarceradas, ao se vigiarem nos mínimos gestos, enquanto estão sob vigilância vertical precisa. Instituída formalmente no final do século XVIII e início do século XIX, a prisão tem como papel ideológico transformar os indivíduos em úteis e dóceis nesse aparelho disciplinar exaustivo que é a instituição carcerária. Tal estrutura deve tomar a seu cargo todos os aspectos do indivíduo, a exemplo da sua aptidão para o trabalho, seu comportamento cotidiano, sua atitude moral.

É na prisão que o governo pode dispor da liberdade da pessoa presa e de seu respectivo tempo e, a partir daí, expropriar valores e injetar novos princípios. Paulatinamente controlar o tempo da vigília e do sono, da atividade, do repouso (o número e

3. A PRISÃO NA PERSPECTIVA DA INTERSECCIONALIDADE DE GÊNERO, RAÇA E CLASSE

a duração das refeições, a qualidade dos alimentos, a natureza e o produto do trabalho, o tempo da oração, o uso da palavra, o controle das faculdades físicas e morais) dentro de um contexto de expiação do pecado, cumprimento de penitência, para o resultado ser a devolução de um indivíduo merecedor da vida em sociedade (FOUCAULT, 1996).

Um aspecto igualmente importante é o fato de o aprisionamento ser lucrativo, e se encontrar mergulhado numa relação de poder de um esquema da submissão individual e de ajustamento a um aparelho de produção. O trabalho penal é concebido como sendo por si mesmo uma maquinaria de transformação da pessoa encarcerada, anteriormente violenta, agitada, irrefletida em uma peça que desempenha seu papel com perfeita regularidade. A oficina de mulheres em Clairvaux, citada por Foucault pode exemplificar nesta cena:

> Num púlpito, acima do qual há um crucifixo, está sentada uma freira; diante dela, e alinhadas em duas fileiras, as prisioneiras efetuam a tarefa que lhes é imposta, e como domina quase exclusivamente o trabalho de agulha, resulta que o mais rigoroso silêncio é constantemente mantido. Parece que nessas salas tudo respira a penitência e a expiação. Ocorrem-nos, como por um movimento espontâneo, os tempos dos veneráveis hábitos desta tão antiga habitação; lembra-nos os penitentes voluntários que aqui se fechavam para dizer adeus ao mundo. (1996, p. 108)

Foucault nos oferece auxílio à percepção de que a prisão não seja compreendida por nós como mera expressão da maldade, aspereza ou intensa vingança da justiça que, esquecendo seus princípios, perdeu todo o controle, visto que os excessos cometidos estão num marco que revela exatamente a economia do poder. Traz à tona a compactuação moral da Igreja, dando a verdadeira intrínseca ligação entre crime e pecado; por fim, o tratamento dado às pessoas criminosas e o espetáculo da execução da pena sempre autorizou a crueldade no intento de que a punição fosse uma cena bizarra a ser assistida, com efeito preventivo no conjunto da sociedade.

Mas como no século XIX essa modalidade de pena foi perdendo a adesão popular e a punição se tornou a parte mais velada do processo penal, sua eficácia é atribuída à sua fatalidade e não à sua intensidade explícita. Desse modo, a justiça não mais assume publicamente a parte de violência que está ligada ao seu exercício, pois o fato de a justiça matar ou ferir não respalda a sua força, só que agora o espetáculo se restringe ao tribunal, e os eventos violentos ocorridos no âmbito prisional passam despercebidos, deixando os indivíduos alienados e com sensação de *mea culpa* sobre a situação da população encarcerada.

Não se pode esquecer que em *Vigiar e punir* aparece nitidamente o suplício eficaz, como sendo aquele que faz emergir a "verdade" e sua função jurídico-política, uma vez que visa ressarcir a soberania lesada em dado momento. A execução pública se insere num ritual de poder em que a finalidade é menos estabelecer um equilíbrio que fazê-lo funcionar. O suplício é contínuo, justifica a justiça se estendendo até o momento do interrogatório, por último publica a verdade do crime no próprio corpo do supliciado.

> A lentidão do suplício, suas peripécias, os gritos e o sofrimento do condenado têm, ao termo do ritual judiciário, o papel de uma derradeira prova. Como qualquer agonia, a que se desenrola no cadafalso diz uma certa verdade: mas com mais intensidade, na medida em que é pressionada pela dor; com mais rigor, pois está exatamente no ponto de junção do julgamento dos homens com o de Deus; com mais ostentação, pois se desenrola em público. O sofrimento do suplício prolonga o da tortura preparatória; nesta, entretanto, o jogo não estava feito e a vida podia ser salva; agora a morte é certa, trata-se de salvar a alma. O jogo eterno já começou; o suplício antecipa as penas do além; mostra o que são elas;

3. A PRISÃO NA PERSPECTIVA DA INTERSECCIONALIDADE DE GÊNERO, RAÇA E CLASSE

ele é o teatro do inferno; os gritos do condenado, sua revolta, suas blasfêmias já significam seu destino irremediável. Mas as dores deste mundo podem valer também como penitência para aliviar os castigos do além; um martírio desses, se é suportado com resignação, Deus não deixará de levar em conta. A crueldade da punição terrestre é considerada como dedução da pena futura; nela se esboça a promessa do perdão. (FOUCAULT, 1996, p. 19)

Apesar de não ser pioneiro na avaliação da utilidade da prisão, Michel Foucault conclui a tese sobre o papel da prisão como o grande fracasso da justiça penal. A crítica à prisão e a seus métodos aparece muito cedo, logo na sua instituição nos princípios do século XVII, sem que tenha havido mudanças substanciais, pois essas instituições nunca diminuíram a taxa de criminalidade e tendem a multiplicar o volume de crimes e de criminosos.

A detenção provoca a reincidência, dado os estigmas adquiridos e retroalimentados aos egressos, impedindo a colocação no mercado de trabalho, negócio esse preconceituoso com as populações moradoras dos territórios constantemente presentes na mídia como perigosos, levando-as, por falta de acolhimento social, a delinquir, ao mesmo tempo gerando repercussões na família; mães e pais caem na miséria, trazendo transtornos sociais para o segmento criança/adolescente, impactando na sobrevivência destes por meio de novas modalidades de atividades ilícitas, prorrogando as infrações sociais entre distintas gerações.

Em tempo, a prisão é uma instituição total definida por Goffman (1974) como aquela cujo "fechamento" ou caráter total é simbolizado pela barreira à relação social com o mundo externo e por proibições. A saída muitas vezes está incluída no esquema físico, tais quais portas fechadas, paredes altas, arame farpado, fossos, água, florestas ou pântanos. Nela todos os aspectos da vida são realizados no mesmo local e sob uma única autoridade, na companhia de um grupo grande de outras pessoas, "tratadas da mesma forma"(1974, p. 16). A incongruência dessa universalização prisional é sabermos que as classes, as raças e as identidades de gêneros mantêm pontuais hierarquias de tratamento disponíveis pela direção da prisão, por ser ela uma miniatura da sociedade ampla com seus privilégios e segregações.

É bem verdade que as pessoas são obrigadas a fazer as mesmas coisas em conjunto, com atividades diárias, rigorosamente estabelecidas em horários, impostos verticalmente por um sistema de regras formais explícitas e um grupo de funcionários. No mundo das pessoas internas está apresentada a vontade da instituição em aprimorar um processo de "desculturamento" e a mortificação do eu, abordado por Goffman (1974) como sendo os mecanismos que as instituições totais ensejam, buscando não uma vitória cultural sobre a população internada, porém para manter um tipo específico de tensão entre o mundo doméstico e o mundo institucional, usando essa tensão inalterada como uma força estratégica no controle das mulheres e dos homens ali institucionalizados.

"A barreira que as instituições totais colocam entre o internado e o mundo exterior assinala a primeira mutilação do eu" (GOFFMAN, 1974, p. 24). "(...) Além da deformação pessoal que decorre do fato de a pessoa perder seu conjunto de identidade, existe a desfiguração pessoal que decorre de mutilações diretas e permanentes do corpo – por exemplo, marcas ou perda de membro" (GOFFMAN, 1974, p. 29). Sem desconsiderar algumas situações de mortificação do eu (a violação da reserva de informação quanto ao eu, perda de equipamento de identidade, responsável por sua vez de impedir que o indivíduo apresente, aos outros, sua imagem usual de si mesmo).

A autoridade das instituições totais se dirige para um grande número de itens de condutas julgadas, desde uniforme, uso de pronome de tratamento, respeito a hierarquias e higiene. O internado não pode fugir facilmente da pressão de

3. A PRISÃO NA PERSPECTIVA DA INTERSECCIONALIDADE DE GÊNERO, RAÇA E CLASSE

julgamentos oficiais e da rede envolvente de coerção, porque uma instituição total assemelha-se a uma escola de boas maneiras pouco refinada (GOFFMAN, 1974).

Essas atividades obrigatórias, múltiplas, são reunidas num plano racional único, previamente planejado para atender aos objetivos oficiais da instituição. Goffman apresenta como tese central do seu pensamento acerca da instituição total a definição de um híbrido social, em parte comunidade residencial, em parte organização formal. E nesse aspecto reside seu especial interesse sociológico, por conta das prisões serem espécies de estufas para mudar pessoas; cada pessoa é um experimento natural sobre o que se pode fazer ao eu.

O mesmo autor traz os embates propostos a partir de dois mundos conflitivos no âmbito da prisão: o das pessoas internadas e o mundo dos dirigentes; além da existência de dois aspectos da diferenciação de papel intragrupo referentes à dinâmica do nível mais baixo da equipe dirigente e a população internada. A primeira, que é uma característica especial desse grupo ser formado por empregados em longo prazo e, portanto, transmissores de tradição; segundo, que o pessoal de nível mais elevado, mesmo os internados, podem apresentar elevado índice de mudança (GOFFMAN, 1974).

Acrescenta-se que o grupo da mediação entre os internos e o alto escalão precisa apresentar, pessoalmente, as exigências das instituições e dos internados. Portanto, é possível uma pessoa internada desviar o repúdio voltado contra pessoas de nível elevado da administração àquelas pessoas do nível mais baixo, responsáveis apenas por cumprir a diretriz da instituição. Concomitantemente, se um internado conseguir contato com uma pessoa desse nível elevado há chances reais de ser recebido com bondade paternalista e até com benevolência.

E essas atitudes são possíveis apenas porque, nos apadrinhamentos, na condição de personagens distantes de instituição total, as pessoas de nível mais alto das relações de poder não têm a tarefa de disciplinar os internados, e seus relacionamentos com estes são tão pouco numerosos que essa delicadeza não perturba a disciplina geral, daí os internados erroneamente nutrirem visão e segurança ilusórias de hierarquia. Na condição de pessoas internadas, acreditam que, embora a maioria da equipe dirigente seja má, a pessoa de posto mais elevado é realmente boa, ainda que possa ser enganada pelos seus inferiores (GOFFMAN, 1974).

O outro aspecto da diferenciação de papel entre pessoas da equipe dirigente trazido por Goffman, na obra em análise, refere-se aos padrões de deferência. Na sociedade civil, os rituais interpessoais que as pessoas se atribuem mutuamente, quando na presença física imediata, têm um componente decisivo de espontaneidade oficial. A pessoa que os manifesta deve executar o ritual de maneira não calculada, imediata, irrefletida, para que seja uma expressão válida de sua suposta consideração pelo outro. Uma pessoa "ofendida" pode agir contra aquela que não demonstrou deferência suficiente, mas geralmente precisa disfarçar a razão específica para a ação corretiva.

De fato, na prisão está em curso a tentativa de infantilização constante, a ponto de as internas serem castigadas abertamente, subestimadas como crianças desrespeitosas para uma veneração adequada, exigida nas relações de poder. Ora, todas(os) têm o direito de desconfiar de que existam boas razões funcionais para que os aspectos presentes das prisões possam ser ajustáveis por meio de uma explicação funcional. Com certeza a partir dessa contribuição de Erving Goffman e do que sugere, haveremos de enaltecer e condenar menos determinados superintendentes, comandantes, guardas, dentre outros servidores do Estado. Teremos mais tendência para compreender os problemas sociais nas instituições totais por meio da estrutura social subjacente a todas elas.

3. A PRISÃO NA PERSPECTIVA DA INTERSECCIONALIDADE DE GÊNERO, RAÇA E CLASSE

De posse das análises e dos olhares direcionados à ideologia presente nos mecanismos de "mortificação do eu" da pessoa interna, percebemos que praticamente inexistem produções teóricas sobre as dinâmicas da prisão nesses aspectos mais subjetivos. Assim como são desconhecidas as manobras exercitadas pelo corpo dirigente, com a sagacidade necessária para a eleição de determinados perfis de trabalhadores para os cargos baixos, profissionais esses dispostos a estar mais próximos dos internos com a responsabilidade de colocar as recusas institucionais em curso, fazendo com que a pessoa presa não enxergue a lógica de que quanto mais perto um servidor está do internado, quanto maior for a sua horizontalidade de relação, mais longe a elegibilidade ao comando da instituição total. Por isso a recorrência de falas do tipo: "o agente penitenciário negro discrimina os internos negros"; "a pessoa que faz a revista vexatória é uma mulher", percepção displicente sobre o comando ideológico vindo do alto, de um poder masculino e branco.

O fato é que a prisão assumiu a função de regulação das relações produtivas, emanadas do sistema de dominação patriarcal capitalista-racista, analisado por Saffioti (1992), autora destacada por sua capacidade de abranger o olhar sobre o sistema de dominação, o qual se insere nas relações sociais, na qual podemos inserir a prisão. Na análise de Saffioti, a abordagem do sistema de dominação masculina deve equivaler às ideologias estruturantes para compreender a conformidade da opressão; não secundarizando raça, ou mesmo colocando gênero e classe como centrais, porém abordando a existência de contradições sociais resultantes da simbiose do patriarcado racista e capitalista.

Essa formulação consegue alcançar o conteúdo de negações e contradições da sociedade, ao alimentar pressupostos de exclusão, agregando e cruzando gênero, raça e classe, cruzamento esse responsável por violar as capacidades sociais das mulheres, negando-lhes o acesso ao trabalho, nomeando as comunidades periféricas cujos lares são chefiados por mulheres de ambientes perigosos, seguindo a lógica de estereótipos e estigmas de que as mulheres, autônomas, pertencentes a certas comunidades são anormais, do ponto de vista da aptidão para a convivência em sociedade.

Ao aprofundar essa linha de raciocínio, Wacquant (2001) indica o entendimento de que essa privação de liberdade não passa de artifício político para conter o desemprego, na geografia de grupos raciais. A dicotomia reside justamente no fato de aquelas pessoas, anteriormente inutilizadas pela lógica do capitalismo, desperdiçadas pela sociedade do consumo, posteriormente sem que haja precedentes históricos, passem a vender a força de trabalho aos serviços carcerários, regulando, portanto, a privatização por meio da punição.

Para o autor, essa lógica funciona com o propósito de abarcar a população do "gueto" àquela considerada perigosa, errante e persistentemente marginalizada. Em Nova York, por exemplo, o modelo de tolerância zero, reconhecidamente importado para o modelo de segurança pública brasileiro, não tem eficácia comprovada no combate à criminalidade, quer seja no Brasil, quer em San Diego, servindo ideologicamente apenas para segregar os grupos raciais desfavorecidos, tão vulneráveis às investidas violentas e racistas dos aparelhos de repressão do Estado.

O modelo de tolerância zero nada mais é que a institucionalidade da perseguição aos pobres, aos negros e aos moradores dos guetos. Trata-se da autorização formal para matar, refletindo, desse modo, a legitimidade do "auto de resistência," levando-nos à compreensão do aprisionamento a partir da hipótese levantada pela elite racista, de que a criminalidade é particularmente associada à cultura moral de um grupo particular e cognitividade deficitária da mesma forma; sendo que os problemas sociais que atingem o patrimônio e a vida das pessoas possuem um perfil racial protagonista desses malefícios.

3. A PRISÃO NA PERSPECTIVA DA INTERSECCIONALIDADE DE GÊNERO, RAÇA E CLASSE

O retrato do encarceramento no Brasil confirma a existência de um Estado penal, no qual a principal missão ideológica é o encarceramento da camada juvenil, negra e pobre como forma de regular as relações sociais conflitivas depositadas por esse segmento no cenário de desigualdade social. Em outra produção sobre a criminalidade e a punição dos pobres, Wacquant (2008) comenta que, no século XVIII, os lugares de confinamento serviam principalmente para deter suspeitos considerados criminosos, por sua vez sentenciados com chicotadas, pelourinho e mutilação. Entretanto, o "advento da individualidade moderna" enquanto direito inviolável desmantelou o Estado de ser promotor de bem-estar econômico e social.

A partir desse autor, podemos afirmar que o racismo institucional na América apresenta-se no aspecto repressivo, o qual a prisão referencia os guetos negros como territórios de agrupamentos humanos inferiorizados e imiscíveis a serem controlados.

O controle punitivo dos negros do gueto pelo viés do aparelho policial e penal estende e intensifica a tutela paternalista já exercida sobre eles através dos serviços sociais. E permite explorar e alimentar ao mesmo tempo a hostilidade racial latente do eleitorado e seu desprezo pelos pobres, com um rendimento midiático e político máximo (WACQUANT, 2001 p. 95).

Fazendo coro a essa visão, as autoras Davis e Dent (2003), novamente, são as teóricas capazes de retratar o efeito e o impacto da combinação de racismo, sexismo e pobreza, ao pressupor a existência de um quadro ideologicamente tramado contra as mulheres, no qual o prognóstico das prisões vem a incidir em espécies de complexos industriais da lógica capitalista, para aprofundar o racismo, o sexismo, o machismo e a lesbofobia.

Enfatizam haver na eficiência do modelo prisional não só o confinamento das potencialidades das mulheres, mas o produto da globalização e do neocolonialismo antecedentes, que vem se expandindo pelo mundo. Segundo as autoras, a criminalização e o cárcere acirram as opressões raciais e de gênero, extrapolando as barreiras territoriais entre as mulheres no mundo (idem, 2003).

Mas recentes estudos das autoras Mendonça e Tavares (2007), no trabalho de campo realizado na Penitenciária Feminina de Aracaju, revelam a ocorrência de discriminação entre as próprias internas, pela condição especial de classe socioeconômica, religião, escolaridade, beleza e orientação sexual. Segundo as autoras, as de camadas sociais altas deveriam pagar proventos simbólicos para não serem agredidas pelas outras. Já as consideradas feias, nessa penitenciária, são motivo de chacota pelas outras internas e apelidadas de adjetivos cínicos.

As autoras sinalizam as humilhações, os recalques e a desumanização vivenciados pelas internas, num espaço de superlotação, onde são roubadas suas identidades, como cita Erving Goffman ao tratar da mortificação do eu, no lugar em que as mulheres internas são transformadas, no dizer das autoras em "bichos", porque vivem como animais. Em adição, as internas nutrem mágoa e rancor de suas famílias devido à condição de abandono, para o qual é imperceptível a vontade institucional de desenvolver iniciativas para manutenção dos laços familiares.

Em outro trabalho, Silva Neta e Tavares (2007) citam as atividades obrigatórias na penitenciária como sendo iguais às do espaço doméstico: lavar, passar, cozinhar, além de atividades voltadas ao embelezamento estético feminino, cuidado com os cabelos e as unhas, vistos na compreensão das autoras como indicadores da dimensão de gênero, colocando as internas na condição de objeto de consumo para a visita íntima, e também como objetos de desejo de homens e mulheres ou de estereótipos de beleza midiática. Sobre esse aspecto é interessante refletir que as subjetividades femininas dentro da prisão são colocadas "em cheque" reiteradas vezes, portanto, se resta uma autoestima

3. A PRISÃO NA PERSPECTIVA DA INTERSECCIONALIDADE DE GÊNERO, RAÇA E CLASSE

trazida do processo de socialização externo, enquanto mulher, a meu ver é válido esse tipo de ludicidade, concretamente menos danosa que um processo de aculturamento.

As constatações e as abordagens refletidas até aqui revelam as riquezas de interpretações possíveis dentro da prisão, podendo ser ela um espaço de disciplinamento de corpos, uma instituição total de mortificação do eu, um complexo industrial da lógica racista-capitalista, mas também uma "sociedade de cativos", espécie de sistema social, do ponto de enunciação das pessoas aprisionadas físico-psicologicamente, por causa da vigilância dos agentes penitenciários e pela intimidade forçada com outras pessoas presas, copartícipes da vida institucional.

Segundo Sykes (1999), o espaço físico da unidade prisional torna aquele ambiente uma sociedade à parte, uma "sociedade dos cativos". Agora, apreciando a perspectiva dessas pessoas presas em relação à prisão, é possível dimensionar as relações estabelecidas entre os internos e os demais funcionários da unidade, da mesma forma que mantêm o interno como ser humano, pois se estivesse isolado de sociabilidade já não seria uma pessoa humana. A comunicação dessa sociedade é realizada por meio de rebeliões e o contato com grupos de interesse que visitam a unidade se processa por meio dos valores que ambos internos e guardas trazem do mundo externo.

Ainda de acordo com esse autor, a denominada por ele "sociedade dos cativos" tem funções múltiplas, e o cenário social da prisão perpassa por regras organizacionais e procedimentos distintos sem que haja consenso se é capaz de reabilitar, inibir novos crimes ou meramente retribuir o malefício que a pessoa criminosa causou à sociedade. Só não é falacioso o discurso sobre a missão da prisão em realizar a vingança, assustar a população com potencial subversivo, isolar os criminosos da sociedade, e realizar uma transformação na personalidade dos seus cativos para que estes vivam em conformidade com a lei.

A manutenção da ordem prisional pretende garantir que os cativos estejam empregados em um trabalho útil. Sendo um lugar de conflito e não de obediência meramente infantil, os atos desviantes são cometidos pelos custodiados apesar das armas, das precauções e da vigilância dos agentes penitenciários incisivamente presentes.

O sentimento de dever que falta aos cativos, os procedimentos administrativos intimidadores, a coleção patética de recompensas e punições para induzir uma conformidade não alcançável, as fortes pressões para a corrupção dos guardas, na forma de amizade, reciprocidade e transferência de responsabilidades para custodiados de confiança, são todos defeitos do sistema de poder da prisão e não inadequações individuais (SYKES, 1999, p. 61).

São inúmeras dores e resistências protagonizadas pela população cativa da prisão em um processo de "prisionização", termo segundo SYKES (1999) cunhado por Donald Clemer a respeito da adoção de maior ou menor proporção dos costumes, dos valores e das crenças da prisão, uma espécie de "habitus" (BOURDIEU, 2009), podemos assim dizer. Nesse espaço social existem os entrelaçamentos de comportamentos das pessoas internas e os procedimentos "inventados" como forma de existir ali do aprisionado, na medida em que a privação da liberdade se insere numa distância da família e dos amigos; as pessoas internas vão criando mecanismos de convivência naquele mundo simbolizado pela rejeição da sociedade, a qual atribui ao preso um estigma de pessoa não confiável.

Em acréscimo, a pobreza material, a ausência de bens de consumo primários e a privação de relações sexoafetivas levam, no caso do homem preso, a uma dúvida sobre a sua masculinidade. A infantilização justificada pela perda de autonomia para as necessidades mais primárias, como usar o banheiro, usar um objeto coletivo; a privação da intimidade indesejada entre custodiados que

3. A PRISÃO NA PERSPECTIVA DA INTERSECCIONALIDADE DE GÊNERO, RAÇA E CLASSE

muitas vezes têm histórico de agressividade e a iminente possibilidade de violência faz crer: em algum momento o interno será testado, e sua masculinidade, avaliada (SYKES, 1999).

Sem deixar de citar as fugas psicológicas, em que as fantasias do passado e do futuro, as rebeliões, a inovação, a manutenção das relações de lealdade, respeito, afeto com os demais custodiados e contra os funcionários, e a paulatina guerra contra todos são formas de adaptação à "sociedade dos cativos". Em Sykes (1999), ainda, se reafirma a visão de outros autores a propósito de a crise mais dramática da prisão ser expressa pelas rebeliões, pondo em perplexidade um dos componentes fundamentais sobre o qual a prisão foi construída: o de que os funcionários, substitutos da comunidade livre, têm poder inquestionável sobre os internos.

As rebeliões são intelectualmente planejadas, e geralmente não terminam como forma de espetáculo; elas são a manifestação de um problema em curso há algum tempo, inobservado pela sociedade alienada. Quando a "cadeia vira" está colocada a pecha para a sociedade, para aparecerem as crises internas vivenciadas pelas pessoas encarceradas e, ao mesmo tempo, fazer lembrar o motivo inicial de colocar tal pessoa na prisão e o fracasso da política penal, com sua vontade falaciosa de transferência de poder dos funcionários para os internos, antes pautada no discurso da corrupção carcerária.

São os discursos sobre a prisão como expressão de punição a fonte de interesse em pesquisa para a formulação de política criminal ou reforma do sistema prisional, na ótica de Garland (1999); portanto, devem ser percebidos em diferentes perspectivas de interpretação, com tendências filosóficas a se concentrarem em etapas ou aspectos completamente diferentes do processo múltiplo e diversificado pontualmente. Cada trabalho acadêmico deveria fazer descobertas creditando caminhos epistemológicos anteriores, com motivações por uma vontade de contribuir à superação do problema penal, não de promoção puramente intelectual do pesquisador, sem finalidades sociológicas. A lembrar dos mais conhecidos teóricos: Durkheim se atentou ao ritual de condenação e nos hábitos; Foucault, à esfera institucional; ressalte-se David Garland no trabalho *Castigo e sociedade moderna – Um estudo de Teoria Social* (1990).

Isso porque cada perspectiva não oferece mudanças entre os diferentes estágios do processo penal a partir de suas diferentes interpretações do mesmo assunto, a propósito da sociologia, da antropologia e dos estudos de gênero. Essas diferentes abordagens vêm sendo bastante obscurecidas pela falta de confluência analítica, e porque cada teórico se recusa, dentro do seu trabalho, a entrar no contexto de outras interpretações, desconsiderando a pena como objeto de estudo multifacetado, que comporta inúmeras possibilidades de razões sociais.

Desse modo, a punição não pode ser reduzida a um significado ou propósito único, pois é uma instituição que incorpora dimensões sociais condensadas; uma série de propósitos e significados históricos profundos, como racismo, sexismo, lesbofobia, capitalismo, violência contra a mulher, reafirmação de masculinidades, formação profissional, centros de estudos, complexos industriais, loucura, fracasso estatal etc.

A punição como constituinte do processo jurídico e a condenação compõem mais uma vez esse processo complexo diferenciado, envolvendo: postura legislativa e condenação, administração de sanções, correlação de forças, autoridade, interesse econômico, sexismo e racismo institucionalizados, dentre inúmeras possibilidades explicativas em ciências sociais. A conduta criminosa não determina a categoria criminal impulsionada pela sociedade, porém, não é o conhecimento criminológico o que a afeta, mas a percepção oficial do "crime" que motiva as posições políticas.

Além disso, as formas de acompanhamento específico, tal qual o julgamento e a punição, a severidade das sanções e da frequência com que se aplicam regimes institucionais e a

3. A PRISÃO NA PERSPECTIVA DA INTERSECCIONALIDADE DE GÊNERO, RAÇA E CLASSE

sentença, são determinadas mais por convenção social que pela tradição dos perfis de crime.

Em suma, os sistemas criminológicos adaptam suas práticas para os problemas de controle do crime influenciados por considerações bastante independentes, tais como convenções culturais, financeiras, dinâmicas institucionais e políticas (a descriminalização da maconha e do aborto em alguns países e sua proibição pelo ordenamento jurídico brasileiro; o infanticídio indígena tomado como tradição (SOUZA, 2009), enquanto a criminalização da mesma conduta no Código Penal sujeita a júri popular às demais mulheres). Por isso conceber a punição como um artefato social que serve a vários propósitos e baseado em um conjunto de forças sociais vão nos permitir considerá-la em termos sociológicos, sem descartar sua finalidade penalógica e de efeito, se levados em conta outros fatores determinantes e outras dinâmicas para entendermos o significado da prisão.

Em Garland (2008), finalmente, além da crítica da literatura, é considerada a punição enquanto procedimento legal delimitado, no qual existência e operações dependem de extenso conjunto de forças e de condições sociais, fazendo-se necessário adaptar tais condições de diferentes formas, algumas das quais estão explicadas em obras históricas e em estudos sociológicos nesta área, aparecendo aí as formas arquitetônicas, a segurança, as técnicas, os regimes disciplinares desenvolvidos para organizar o tempo e o meios de comunicação, espaço e relações sociais para financiar, construir e gerenciar esses próprios complexos.

Esgotado esse exercício de diálogo com a bibliografia pertinente à temática das prisões, veremos no próximo capítulo a relevância de uma abordagem teórico-metodológica baseada na perspectiva da interseccionalidade para melhor investigar e analisar a violência institucional voltada contra mulheres negras no cenário prisional.

4. AS MULHERES NO CONJUNTO PENAL FEMININO DE SALVADOR

O COMPLEXO PENITENCIÁRIO LEMOS BRITO abriga o Conjunto Penal Feminino de Salvador, situado na Avenida Cardeal Avelar Brandão Vilela, bairro da Mata Escura – território urbano de população majoritariamente negra. Emergido geograficamente em mata atlântica, Mata Escura é caracterizado histórico-socialmente como espaço popular, onde se instalam comunidades de terreiros de candomblé tombadas como patrimônio cultural.

De segurança máxima, criado em 1950, o Complexo é o maior do Estado, tendo a sua construção remetida a Lemos Brito, crítico das condições subumanas das unidades prisionais, mentor das unidades femininas, referendado na tese de a separação dos sexos se constituir como condição essencial para a tranquilidade dos homens encarcerados (SOARES; ILGENFRITZ, 2002), dada a suposta "lascividade biológica" emanada dos corpos das criminosas quando encarceradas em unidades prisionais mistas.

Até o primeiro trimestre de 2011, a política de execução penal esteve lotada institucionalmente com status de superintendência na Secretaria Estadual de Cidadania, Justiça e Direitos Humanos (SCJDH) da Bahia. Contudo, em cumprimento à Lei estadual nº 12.212/2011, a pena de privação de liberdade passou a ser executada pela Secretaria de Administração Penitenciária e Ressocialização – SEAP.

4. AS MULHERES NO CONJUNTO PENAL FEMININO DE SALVADOR

Posto isso, na capital, o Conjunto Penal Feminino custodia presas provisórias e condenadas, em cumprimento às penas de privação de liberdade em regime fechado. O funcionamento do cadastramento para a visitação ocorre às terças e quintas-feiras, das 8h às 12h e das 14h às 16h, e para as visitas nos dias de quartas-feiras e sábado, das 9h às 11h30.

A instituição executa as penas atendendo aos dispositivos da sentença condenatória e das decisões acerca da provisoriedade das penas, individualmente consideradas para cada presa custodiada. O Código Penal Brasileiro, no Título V, Das Penas, capítulo I, seção I, em seu artigo 33, considera regime fechado a execução da pena em estabelecimento de segurança máxima ou média; semiaberto, o regime de cumprimento em colônia agrícola, industrial ou em estabelecimento domiciliar; e aberto, a pena executada em casa de albergado ou estabelecimento adequado.

Com instalações elétricas e físicas insuficientes, debilitadas, sobre as condições de insalubridade do Complexo Penitenciário se destacam: extintores de incêndios com validade vencida, problemas sanitários e déficit de equipe profissional. A Casa de Albergado e Egresso é destinada aos internados e aos condenados a cumprimento de pena de privação de liberdade em regime aberto, com restrição penal aos fins de semana, e o Centro de Observação Penal, aos condenados ao cumprimento da pena em regime fechado devido às condições do crime e à abrangência da pena, diferentemente da Central Médica Penitenciária a que se dispõe a assistência à saúde básica dos internos aos procedimentos médicos de baixa complexibilidade.

Já na Penitenciária Lemos Brito se custodia os presos condenados ao cumprimento de penas privativas de liberdade em regime fechado em segurança máxima, correspondendo aos sentenciados as penas acima de oito anos de reclusão e/ou ao público com antecedentes criminais. No Presídio de Salvador encontramos os custodiados presos provisórios da Região Metropolitana de Salvador.

A Unidade Especial Disciplinar abriga os réus nacionais ou estrangeiros que apresentem alto risco para a ordem e a segurança do estabelecimento penal ou da sociedade, ou que tenham participação, a qualquer título, em organizações criminosas, quadrilha ou bando, réus provisórios e condenados em regime fechado, autuados por crimes dolosos, sujeitos ao regime disciplinar diferenciado – RDD,[12] cuja duração máxima perfaz trezentos e sessenta dias, sem prejuízo da reiteração da sanção por nova falta grave de natureza penalógica semelhante, até o limite de um sexto da pena aplicada. Ainda garante à pessoa internada o recolhimento em cela individual, oferece garantia de visitas semanais de duas pessoas, com duração de duas horas, podendo receber visitas de crianças e adolescentes e direito à saída da cela por duas horas diárias para banho de sol.

Finalmente, no Complexo Penitenciário Lemos Brito temos a Cadeia Pública de Salvador, que abriga os réus provisórios, exatamente aqueles cidadãos ainda não condenados, embora existam indícios de autoria e materialidade do delito.

Na capital baiana, das dez unidades prisionais que fazem cumprir a execução penal, duas delas são externas ao Complexo Lemos Brito: a Colônia Lafaiete Coutinho, localizada no bairro de Castelo Branco, a qual atende às pessoas cumprindo regime semiaberto, e o Hospital de Custódia e Tratamento, que atende em regime de segurança máxima a internação por determinação judicial, os encaminhamentos de perícia, custódia e tratamento das pessoas indiciadas, processadas e sentenciadas a medidas de segurança em virtude de problemas de natureza psicossocial e retardamento intelectual.

---

12 Regime legal adotado no Brasil a partir da Lei nº 10.792, de 1º de dezembro de 2003, acrescida à Lei de Execução Penal nº 7.210, de 11 de julho de 1984, artigo 52, §§ 1º e 2º.

4. AS MULHERES NO CONJUNTO PENAL FEMININO DE SALVADOR

4.1 População carcerária em Salvador

QUADRO 1: População carcerária em Salvador

UNIDADE	POPULAÇÃO						
	Masculino		Feminino		Total	Capc	Excd
	Bras	Estr	Bras	Estr			
Casa do Albergado	145	0	0	0	145	98	47
Colônia Lafaiete Coutinho	475	2	0	0	477	284	193
Centro de Observação Penal	307	3	0	0	310	96	214
Hospital de Custódia	114	0	11	0	125	150	-25
Conjunto Penal Feminino		0	148	5	153	128	25
Penitenciária Lemos Brito	1303	7	0	0	1310	1030	280
Presídio Salvador	970	2	0	0	972	784	188
Unidade Especial Disciplinar	273	0	0	0	273	432	-159
Total	3587	14	159	5	3765	3002	763

Fonte: INFOPEN – Sistema de Informações Penitenciárias, Secretaria de Administração Penitenciária e Ressocialização, 24 de maio de 2012

Em Salvador, conforme tabela acima, estão sob a tutela do Estado 3.765 pessoas a despeito da capacidade suportar 3.002 pessoas. Homens encarcerados temos 3.601, frente a um total de 164 encarceradas, das quais 153 na capital, no Conjunto Penal Feminino, de acordo com o gráfico ao lado. Tal realidade prisional revela assimetria no *quantum* de homens e mulheres quando comparados; excedente de 764 pessoas

GRÁFICO 1:
Poulação carcerária em números absolutos

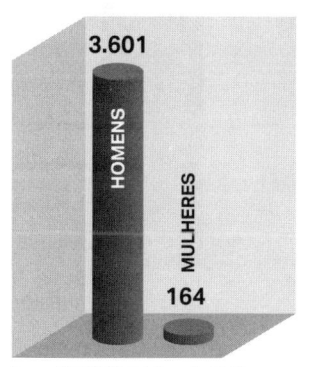

HOMENS: 3.601
MULHERES: 164

Fonte: INFOPEN, 24 de maio 2012

encarceradas, somente nas unidades componentes do Complexo, sendo 25 delas mulheres, no universo de 153 encarceradas. A população de mulheres em regime de privação de liberdade é composta majoritariamente por processadas presas provisoriamente, quer seja porque foram detidas em flagrante ou estão em prisão temporária em virtude de inquérito policial ou ação penal convertida em preventiva, quer seja porque lhes foi decretada diretamente a prisão preventiva. De qualquer modo, ainda não há condenação definitiva no tocante a autoria e materialidade dos crimes que as levaram à reclusão; aguardam, portanto, o julgamento.

Posta a realidade jurídico-penal da população do Conjunto Penal Feminino de Salvador, se apresenta uma musculatura judiciária morosa e burocrática para conclusão de uma gama de processos imersos em confluências de interesses dos poderes Executivo e Judiciário em hábeis expedientes lombrosianos próprios do Estado quando direcionados a determinadas camadas raciais reativas às leis.

GRÁFICO 2:
População do Conjunto Penal Feminino em valores absolutos

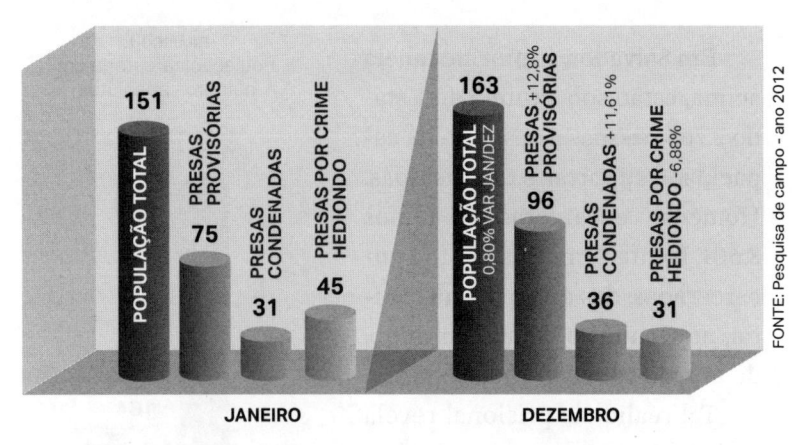

	JANEIRO				DEZEMBRO		
POPULAÇÃO TOTAL	PRESAS PROVISÓRIAS	PRESAS CONDENADAS	PRESAS POR CRIME HEDIONDO	POPULAÇÃO TOTAL 0,80% VAR JAN/DEZ	PRESAS +12,8% PROVISÓRIAS	PRESAS CONDENADAS +11,61%	PRESAS POR CRIME HEDIONDO -6,88%
151	75	31	45	163	96	36	31

FONTE: Pesquisa de campo - ano 2012

Oposto ao fato, não se pode negar quanto à eficácia para encerramentos dos processos a tendência homogeneizante do

4. AS MULHERES NO CONJUNTO PENAL FEMININO DE SALVADOR

tratamento penal, fazendo com que o magistrado, no afã de corresponder à produtividade exigida para promoção na carreira,[13] incorra em sentenças generalistas nas quais a classe, a raça e o gênero sabem se valer, ocasionando um aprisionamento em massa de população pobre e negra da Bahia.

Desse modo, a comprovada prevalência de presas provisórias em comparação às sentenciadas, e o aumento de 28% das primeiras contra 16,12% de sentenciadas em 2011 apresentam incompatibilidade do rito do processo penal acerca de prazos para a conclusão dos inquéritos e processos. Efetivamente, o entrelace das más vontades de Polícia, Ministério Público e Poder Judiciário aprisiona por meses, chegando a anos, mulheres sem processo em curso ou condenação. No Conjunto Penal Feminino de Salvador, temos as negações das garantias constitucionais das mulheres extrapoladas em termos de dignidade sem que, oficialmente, deponha contra as presas provisórias a certeza quanto às condutas criminosas.

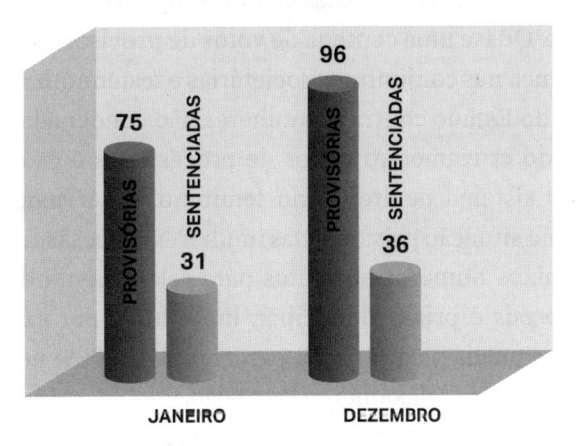

GRÁFICO 3:
Comparativo Provisórias/Sentenciadas

	JANEIRO	DEZEMBRO
PROVISÓRIAS	75	96
SENTENCIADAS	31	36

[13] A Emenda Constitucional nº 45, de 2004, denominada Emenda da Reforma do Judiciário, alterou o texto originário da Constituição Federal de 1988 e, em obediência aos princípios neoliberais que insere padrões de mercado como critério para reforma do Estado, passou a exigir *produtividade* dos juízes para promoção na carreira, com forme artigo 93, inciso I, alínea *c*.

Ademais, a partir desse dado, findado o processo, não são remotas as chances de as sentenças estabelecerem uma pena inferior ao tempo já cumprido de encarceramento provisório, aliado ao fato de a prisão provisória, consequentemente, ter impacto sobre a formulação de políticas públicas, com por exemplo na cassação dos direitos políticos dessas mulheres, das cidadanias ativas por meio do voto, com o impedimento inconstitucional de eleger seus representantes políticos.

O sufrágio – reivindicação e conquista histórica de mulheres feministas na década de 1930 –, com o dado alarmante de processadas em relação às condenadas, se apresenta como ferida provocada pelo Estado na cidadania das mulheres. Outro crime do Estado é a violação ao princípio constitucional de "presunção da inocência" até que se prove o contrário. Cassados os direitos políticos das mulheres presas provisórias, se ocasionam ainda impactos substanciais no cenário da política pública, sobretudo porque nas disputas eleitorais todo voto é importante e decisivo. Quase uma centena de votos de provisórias por certo faz diferença nas conjunturas societárias e testemunham a favor do crime do Estado contra as mulheres não condenadas.

Quando cruzamos os dados de processadas e os dados de saídas do sistema penitenciário feminino, observamos pouca variação na situação prisional das mulheres processadas indicada nos baixos números absolutos para relaxamento de prisão, *habeas corpus* e prisão domiciliar, inobstante, por exemplo, a ilusão ocasionada pela variação percentual de 500% no período considerado para relaxamento de prisão.

Como visto anteriormente, as mulheres custodiadas encontram-se provisoriamente presas em razão da garantia do processo e do inquérito contra elas, de modo que, mesmo sendo submetidas a meses de privação de sua liberdade, esses instrumentos jurídicos citados indicam, no caso de relaxamento de prisão, que a encarcerada

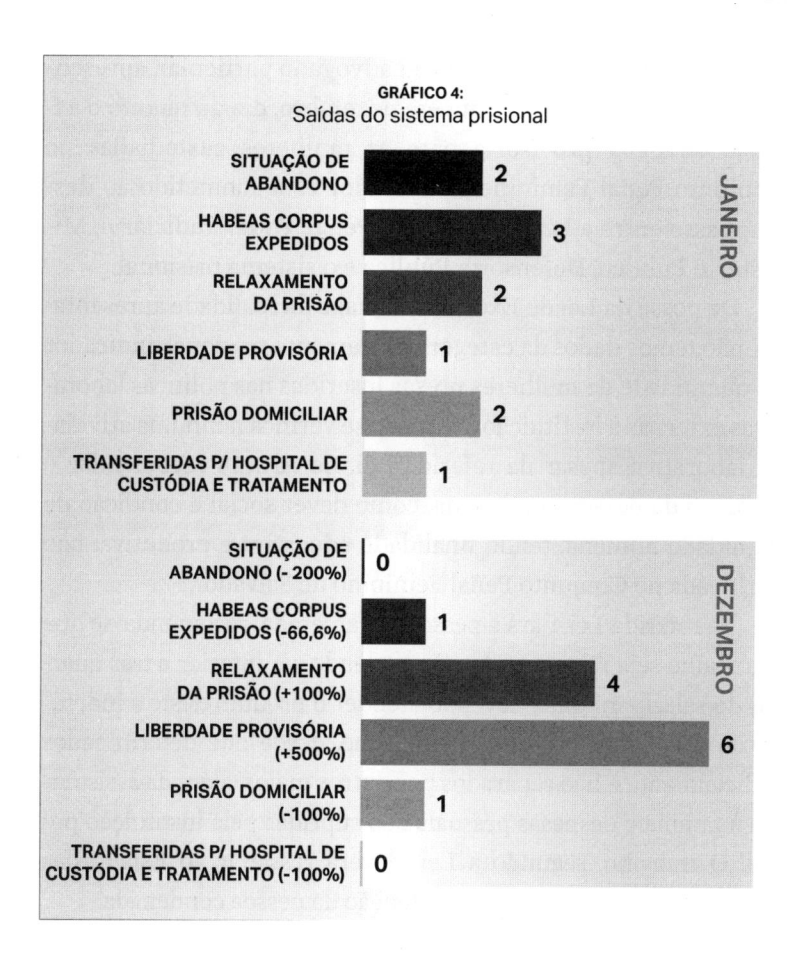

4. AS MULHERES NO CONJUNTO PENAL FEMININO DE SALVADOR

GRÁFICO 4:
Saídas do sistema prisional

JANEIRO
- SITUAÇÃO DE ABANDONO: 2
- HABEAS CORPUS EXPEDIDOS: 3
- RELAXAMENTO DA PRISÃO: 2
- LIBERDADE PROVISÓRIA: 1
- PRISÃO DOMICILIAR: 2
- TRANSFERIDAS P/ HOSPITAL DE CUSTÓDIA E TRATAMENTO: 1

DEZEMBRO
- SITUAÇÃO DE ABANDONO (-200%): 0
- HABEAS CORPUS EXPEDIDOS (-66,6%): 1
- RELAXAMENTO DA PRISÃO (+100%): 4
- LIBERDADE PROVISÓRIA (+500%): 6
- PRISÃO DOMICILIAR (-100%): 1
- TRANSFERIDAS P/ HOSPITAL DE CUSTÓDIA E TRATAMENTO (-100%): 0

teve restaurado seu direito à liberdade pela não obediência estrita aos procedimentos necessários para a prisão em flagrante ou, no caso de *habeas corpus*, de caracterização de abuso de autoridade ou o tempo de prisão mais do que determina a lei, como visto acima na saída do sistema prisional referente a janeiro de 2011.

No entanto, a situação de abandono, expressa na ausência de assistência jurídica prevista na Lei de Execução Penal[14]

---

[14] Da Assistência Jurídica
Art. 15. A assistência jurídica é destinada aos presos e aos internados sem recursos financeiros para constituir advogado.

prestada por defensor público ou advogado particular, apresentada no início do ano, extinta em dezembro, diz do quanto o excesso de pena provisória para as mulheres custodiadas no Conjunto Penal Feminino de Salvador está submetido ao descompasso entre a Lei de Execução Penal, Poder Judiciário, Ministério Público, Defensoria Pública e o sistema prisional.

De posse da Lei de Execução Penal e da realidade apresentada, não temos dados da categoria tratamento prisional, indicador da quantidade de mulheres presas inseridas nas políticas laborativas externas à instituição. Nela não se verifica nenhuma atividade laborativa apesar da referida Lei, no Art. 28 recomendar o trabalho da pessoa condenada, como dever social e condição de dignidade humana, tendo finalidade educativa e produtiva, não verificada no Conjunto Penal Feminino de Salvador.

Na referida Lei, para a pessoa encarcerada, recomenda-se que o trabalho seja remunerado, não podendo ser inferior a três quartos do salário mínimo, devendo atender o produto deste à indenização dos danos causados pelo crime, desde que determinados judicialmente e não reparados por outros meios, além da assistência à família e despesas pessoais não supridas pela instituição penal. O trabalho, segundo a Lei, deverá ressarcir ao Estado das despesas realizadas com a manutenção da pessoa condenada.

Ao contrário da recomendação legal, a colocação da mulher encarcerada no trabalho escapa aos deveres institucionais elencados na medida em que o trabalho é estritamente voltado para a

---

Art. 16. As Unidades da Federação deverão ter serviços de assistência jurídica, integral e gratuita, pela Defensoria Pública, dentro e fora dos estabelecimentos penais.

§ 1º As Unidades da Federação deverão prestar auxílio estrutural, pessoal e material à Defensoria Pública, no exercício de suas funções, dentro e fora dos estabelecimentos penais.

§ 2º Em todos os estabelecimentos penais, haverá local apropriado destinado ao atendimento pelo Defensor Público.

§ 3º Fora dos estabelecimentos penais, serão implementados Núcleos Especializados da Defensoria Pública para a prestação de assistência jurídica integral e gratuita aos réus, sentenciados em liberdade, egressos e seus familiares, sem recursos financeiros para constituir advogado.

4. AS MULHERES NO CONJUNTO PENAL FEMININO DE SALVADOR

remissão da pena. Um avanço limitado, por certo, uma vez que a execução penal em Lei sofreu alteração na redação sobre a remissão de pena, dada pela Lei n° 12.433, de 2011, "que para fins de cumulação dos casos de remissão, as horas diárias de trabalho e de estudo serão definidas de forma a se compatibilizarem".

Na realidade institucional, com o advento dessa consignação em Lei, as internas brancas deixaram de ser as maiores beneficiadas com trabalhos remunerados e de remissão da pena, mais elegíveis que as negras para funções administrativas e trabalhos nas fábricas instaladas na instituição, em função de formação educacional distinta. Ao contrário das negras, com níveis de escolaridade precários e menos instrumentalizadas (em dezembro de 2011 eram apenas 86[15] com o ensino fundamental completo), facilmente encaixadas, em decorrência da pena, somente em trabalhos de limpeza e físicos, conforme Santos (2008).

No cenário de trabalho de campo, por meio da observação sistemática, constatamos todo e qualquer trabalho sendo valorizado como condição importante para a remissão da pena, mantendo seus critérios de impacto de gênero, raça e classe, mas agora, também, posta a ausência de remuneração por inexistir organismos de "responsabilidade social" ou parcerias com parestatais instalados na Unidade feminina para a inserção de trabalho das mulheres. Dessa forma, aumentam os empenhos de parentescos, das mulheres, para garantia de subsistência das internas.

Se anteriormente tínhamos ao menos a mais-valia extraída do trabalho das encarceradas, ainda que sub-remunerado, na atual configuração legal, consoante ao que a feminista Angela Davis (2003) critica como sendo realidade de lucro de empresas, verdadeiros complexos industriais da prisão, temos toda a

---

15 Todos os dados citados e baseados para a produção dos gráficos obedecem os dados do INFOPEN a respeito do Conjunto Penal Feminino de Salvador.

sorte de trabalho sem remuneração, tanto para negras quanto para não negras encarceradas.

Se em escala macropolítica o Estado e a sociedade valorizam determinados perfis sociais de mulheres para trabalhos executivos e domésticos, em diferenciação subalternizadora para o segundo, adiante mantém as mesmas hierarquias na sociedade prisional. Em leitura conjuntural obtemos o desespero de mães, filhas e avós encarceradas sem trabalho formal ofertado pela política institucional, sem condição de transferência de renda para seus familiares.

Atualmente, de lugar de microcosmo da sociedade, a prisão como aparato do Estado expropria o trabalho das mulheres, independentemente de raça, classe ou geração; contudo, as mesmas classificações raciais verificadas no trabalho doméstico mal remunerado ou gratuito no mundo externo seguem retroalimentadas no âmago da instituição prisional.

No que diz respeito ao corpo de profissionais efetivos do Conjunto Penal Feminino de Salvador, é falta grave institucional para ressocialização das mulheres encarceradas a carência de psicólogos, assistentes sociais e agentes penitenciários, embora mereça destaque a aquisição de um médico, um odontológo e 5,5% de apoio administrativo. Salutar voltarmos às problemáticas do Conjunto Penal Feminino tocantes aos conflitos de competências e atribuições técnicas verificadas no déficit de 50% de psicólogos e assistentes sociais, tendo impacto direto na política de assistência social, prevista na Lei de Execução Penal as 163 mulheres encarceradas na instituição durante o período da pesquisa de campo.

O rebaixamento e a quase ausência de profissionais no quadro efetivo, fundamentalmente psicólogo e assistente social, impacta negativamente na Comissão Técnica de Classificação a qual esses profissionais integram, conforme dispõe a Lei de Execução Penal. Até 2003 caberia a esses profissionais traçar e

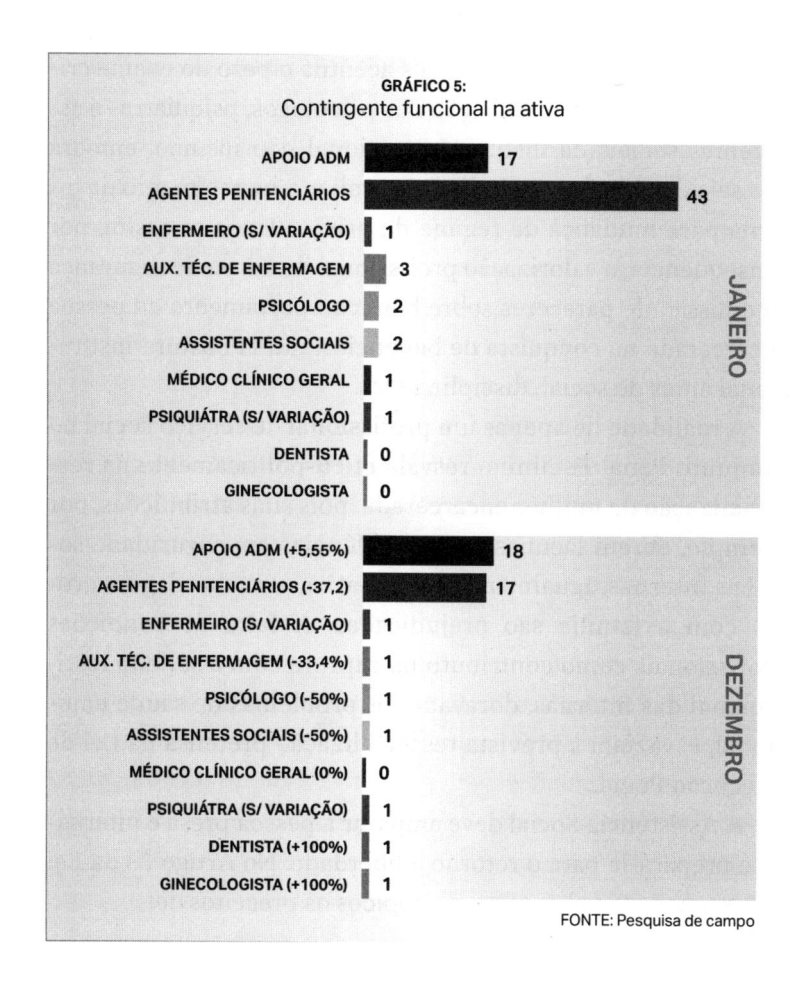

4. AS MULHERES NO CONJUNTO PENAL FEMININO DE SALVADOR

GRÁFICO 5:
Contingente funcional na ativa

JANEIRO
- APOIO ADM: 17
- AGENTES PENITENCIÁRIOS: 43
- ENFERMEIRO (S/ VARIAÇÃO): 1
- AUX. TÉC. DE ENFERMAGEM: 3
- PSICÓLOGO: 2
- ASSISTENTES SOCIAIS: 2
- MÉDICO CLÍNICO GERAL: 1
- PSIQUIÁTRA (S/ VARIAÇÃO): 1
- DENTISTA: 0
- GINECOLOGISTA: 0

DEZEMBRO
- APOIO ADM (+5,55%): 18
- AGENTES PENITENCIÁRIOS (-37,2): 17
- ENFERMEIRO (S/ VARIAÇÃO): 1
- AUX. TÉC. DE ENFERMAGEM (-33,4%): 1
- PSICÓLOGO (-50%): 1
- ASSISTENTES SOCIAIS (-50%): 1
- MÉDICO CLÍNICO GERAL (0%): 0
- PSIQUIÁTRA (S/ VARIAÇÃO): 1
- DENTISTA (+100%): 1
- GINECOLOGISTA (+100%): 1

FONTE: Pesquisa de campo

avaliar o perfil psicossocial da pessoa encarcerada, emitindo o parecer técnico ao judiciário, como subsídio à progressão de pena. Agora cabe estritamente a esses profissionais a individualização da pena de privação de liberdade e classificação da pessoa encarcerada, sendo que para mudança de regime os pareceres técnicos da assistentes sociais e psicólogos nada somam, devendo por isso a pessoa presa criar condições institucionais visando um não enquadradamento como mau comportamento, na conquista da progressão de pena e indulto.

Mas o déficit de profissionais acentua o peso do exame criminológico no qual a avaliação dos psicólogos, psiquiatras e assistentes sociais da instituição prisional dão insumo, embora não seja decisivo para o judiciário avaliar o merecimento da interna para mudança de regime de prisão. Traça-se assim, por consequência, a valorização profissional do corpo de segurança na emissão de pareceres sobre bom comportamento da pessoa encarcerada na conquista de benefícios, numa postura institucional antes de social, disciplinadora.

A realidade de apenas um profissional de serviço social no Conjunto Penal Feminino resvala ético-politicamente na ressocialização da mulher encarcerada, pois suas atribuições, por exemplo, abrem lacunas nas providências em seguridade social às internas. Igualmente, as iniciativas em abordagem grupal com a família são prejudicadas. A falta de condições profissionais como contributo na ruptura com a solidão institucional das internas, doravante os problemas de saúde emocional, esvaziam a prevista ressocialização pretensa na Lei de Execução Penal.

A Assistência Social deve amparar a pessoa presa e internada e prepará-la para o retorno à liberdade. No Artigo 23 da Lei de Execução Penal se tornam utópicos os preceitos de:

I – conhecer os resultados dos diagnósticos e exames;

II – relatar, por escrito, ao diretor do estabelecimento, os problemas e as dificuldades enfrentados pelo assistido;

III – acompanhar o resultado das permissões de saídas e das saídas temporárias;

IV – promover, no estabelecimento, pelos meios disponíveis, a recreação;

V – promover a orientação do assistido, na fase final do cumprimento da pena, e do liberando, de modo a facilitar o seu retorno à liberdade;

VI – providenciar a obtenção de documentos, dos benefícios da previdência social e do seguro por acidente no trabalho;

4. AS MULHERES NO CONJUNTO PENAL FEMININO DE SALVADOR

VII – orientar e amparar, quando necessário, a família do preso, do internado e da vítima.

Para a política de assistência social conquistar alcance em direitos sociais, haveria de se garantir à mulher encarcerada o deslocamento de profissional para os domicílios das famílias cujos territórios são distantes, conforme observamos no gráfico a seguir, favorecendo mecanismos de manutenção de vínculos, principalmente para companheiras homoafetivas que, não sendo parentes de primeiro grau das internas, exigência institucional, não têm o direito a realizar visita às suas companheiras aprisionadas. Somado ao procedimento institucional heteronormativista, no qual o parâmetro de afetividade entre

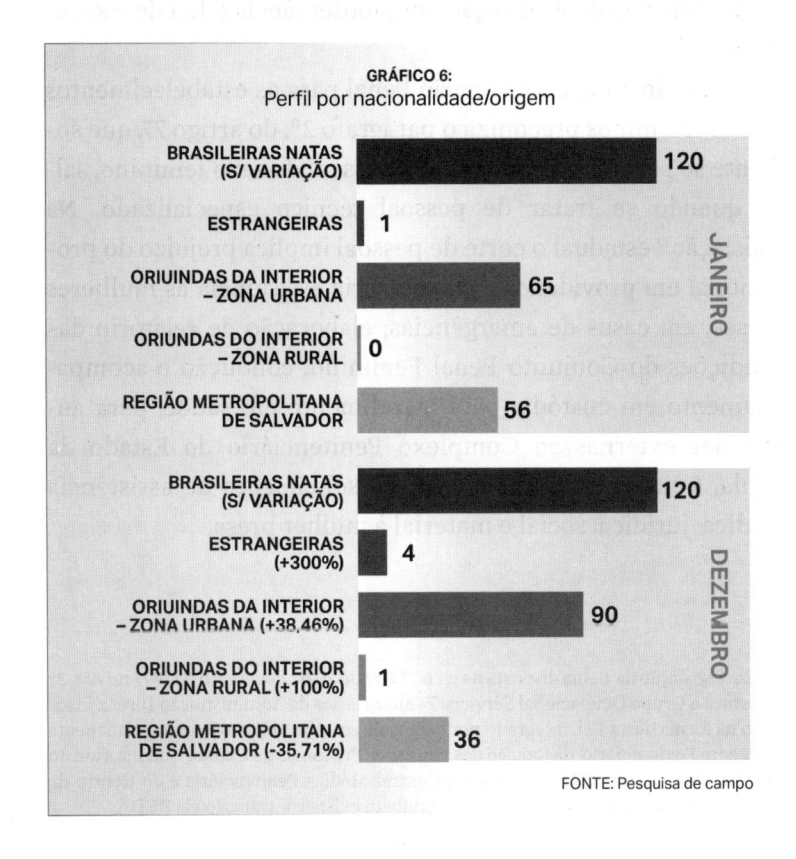

GRÁFICO 6:
Perfil por nacionalidade/origem

Categoria	Valor	Mês
BRASILEIRAS NATAS (S/ VARIAÇÃO)	120	JANEIRO
ESTRANGEIRAS	1	JANEIRO
ORIUNDAS DA INTERIOR – ZONA URBANA	65	JANEIRO
ORIUNDAS DO INTERIOR – ZONA RURAL	0	JANEIRO
REGIÃO METROPOLITANA DE SALVADOR	56	JANEIRO
BRASILEIRAS NATAS (S/ VARIAÇÃO)	120	DEZEMBRO
ESTRANGEIRAS (+300%)	4	DEZEMBRO
ORIUNDAS DA INTERIOR – ZONA URBANA (+38,46%)	90	DEZEMBRO
ORIUNDAS DO INTERIOR – ZONA RURAL (+100%)	1	DEZEMBRO
REGIÃO METROPOLITANA DE SALVADOR (-35,71%)	36	DEZEMBRO

FONTE: Pesquisa de campo

Ó PA Í, PREZADA!

mulheres é inviabilizado e para a companheira aprisionada adquirir esse direito, antes deverá comprovar por documento de associações ou contas conjuntas a união homoafetiva estável conforme gráfico na página anterior acerca da proveniência de território no perfil das encarceradas.

Alie-se a isso a queda percentual de 37% dos agentes penitenciários no corpo de funcionários, contribuindo para as dificuldades do Conjunto Penal Feminino de Salvador no sentido de garantir o cumprimento das penas privativas de liberdade de forma digna e integral para as mulheres. Em acréscimo, na observação sistemática durante a pesquisa de campo, se verificou a presença alarmante de agentes penitenciários, homens, com condutas violentas da instituição em inobservância a Lei de Execução penal.

Segundo a Lei de Execução Penal para os estabelecimentos penais femininos preconiza o parágrafo 2º, do artigo 77, que somente se permitirá o trabalho de pessoal do sexo feminino, salvo quando se tratar de pessoal técnico especializado. Na legislação[16] estadual o corte de pessoal implica prejuízo do profissional em providenciar a necessária assistência às mulheres presas, em casos de emergências; elaboração de relatório das condições do Conjunto Penal Feminino; condução e acompanhamento em custódia para atendimento em saúde, para audiências externas ao Complexo Penitenciário do Estado da Bahia, e nos encaminhamentos de solicitações de assistência médica, jurídica, social e material à mulher presa,

---

[16] Em legislação da Bahia disposta na lei nº 7.209 de 20 de novembro de 1997 no Art. 2º se institui o Grupo Ocupacional Serviços Penitenciários da Administração Direta, instituído na forma desta Lei, integrado por cargos de carreira, de provimento permanente de Agente Penitenciário, da lotação das Unidades Prisionais da Capital e do interior, do Hospital de Custódia e Tratamento, da Central Médica Penitenciária e do Centro de Observação Penal embora para os cargos também exista contratação via REDA.

4. AS MULHERES NO CONJUNTO PENAL FEMININO DE SALVADOR

Agente penitenciário não é policial. A missão da policia é garantir a segurança do cidadão e combater o crime. O agente penitenciário tem a responsabilidade distinta: a custódia do preso. Além de manter a ordem e a disciplina nas cadeias, eles têm a obrigação de zelar pela integridade do interno sob sua guarda. E, de certa forma, devem também garantir que os presos tenham acesso aos serviços que lhe são garantidos por lei. Infelizmente, essa diferença não existe para muitos agentes. Grande parte deles se vê como policiais penitenciários (LEMGRUBER; PAIVA: 2010, p. 156).

Teses essencialistas voltadas a explicar a fragilidade feminina, a incapacidade das mulheres incorrerem em condutas criminosas viris, devem ser questionadas juntamente com as concepções tendenciosas sobre a escassez de mulheres no cometimento de crimes de maior potencial ofensivo. Os dados do Conjunto Penal Feminino atestam, na somatória dos crimes contra a pessoa, respectivamente, um aumento de 27,27% no ano de 2011 em homicídios qualificados e homicídios simples.

Concordamos com Zelinda Barros (1998) que as mulheres se valem do estereótipo presente no imaginário social de inofensividade feminina para atuarem nas atividades ilícitas, sem serem descobertas ou darem a falsa impressão de que delinquem menos que os homens. Observamos uma mudança, entretanto, de perfil criminológico apontado pela autora na década de 1990, quando as mulheres exerciam "papel auxiliar" no cometimento de crimes por elas com os homens, em relação à "mulher do século XXI", que, com os dados, as entrevistas e a etnografia, são mulheres protagonistas de atividades ilícitas, diferente perfil do tratado pela autora, de acordo com a qual,

> segundo o que foi observado na amostra estudada, a mulher delinque, na maioria dos casos, acompanhada de um homem, por sua causa ou é utilizada por ele como atrativo para as vítimas. Desta forma, revela-se a

> subordinação que também ocorre no relacionamento entre criminosos. Nos casos de tráfico de drogas, é bastante visível este aspecto, pois as mulheres aparecem em 68% dos casos noticiados no período, envolvidas numa relação onde está situada inferiormente ao homem, desempenhando um papel auxiliar (BARROS, 1998 p. 113-114).

Agora, a mulher deixou de ser acessório no trabalho com o crime. Mesmo que desejemos colocar inocência no fato de uma parcela servir como "mulas do tráfico", não podemos negar a audácia de um componente superlativo que lidera o tráfico de drogas na Bahia e comete homicídios qualificados, rouba, sequestra, mata com requintes de crueldade, faz questão inclusive de se colocar na mídia ostentando armas e poderes alheios a uma subordinação de gênero.

Até mesmo para ingressar no sistema penitenciário, ambiente austero, de monitoramento ininterrupto e ostensivo policiamento, com drogas e entorpecentes no ânus e na vagina, as mulheres denotam mais audácia e posição ativa que o inverso. Destaque ainda para aquelas que, já encarceradas, desafiam ao Sistema e egressam das unidades prisionais masculinas após terem conquistado pelos meios necessários direito à visita íntima, com drogas para comercialização e uso no Conjunto Penal Feminino.

GRÁFICO 7:
Crimes contra a pessoa

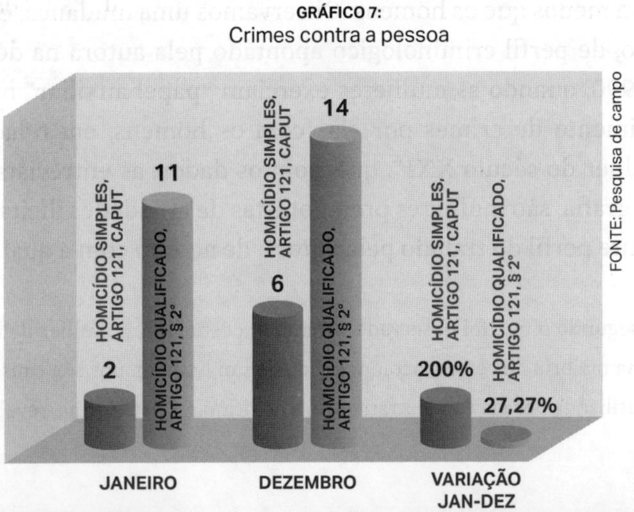
HOMICÍDIO SIMPLES, ARTIGO 121, CAPUT
2
HOMICÍDIO QUALIFICADO, ARTIGO 121, § 2°
11
HOMICÍDIO SIMPLES, ARTIGO 121, CAPUT
6
HOMICÍDIO QUALIFICADO, ARTIGO 121, § 2°
14
HOMICÍDIO SIMPLES, ARTIGO 121, CAPUT
200%
HOMICÍDIO QUALIFICADO, ARTIGO 121, § 2°
27,27%
JANEIRO
DEZEMBRO
VARIAÇÃO JAN-DEZ
FONTE: Pesquisa de campo

4. AS MULHERES NO CONJUNTO PENAL FEMININO DE SALVADOR

Dos crimes contra a pessoa humana, chama a atenção para a ausência do aborto e do infanticídio tipificados no Código Penal, nos dados do Conjunto Penal Feminino de Salvador, embora a recente pesquisa do Instituto de Bioética, Direitos Humanos e Gênero[17] declarar que uma em cada cinco mulheres já tenha realizado aborto. Explicação plausível está relacionada ao empenho dos movimentos de mulheres e feministas na pauta do direito em torno da autonomia da mulher sobre seu próprio corpo e luta contra a descriminalização de tal procedimento.

Embora haja concordância em relação à descriminalização dessa conduta e a certeza de o alcance penalógico de tal medida atingir certo perfil social de mulheres, vale mencionar o pouco empenho político existente quanto ao reconhecimento do direito subjetivo[18] das mulheres criminalizadas romperem com ciclos de violência doméstica, destinado a seu corpo, praticadas por companheiros, como se apresenta nos casos das delituosas do Conjunto Penal Feminino de Salvador.[19]

Do ponto de vista metodológico, na relação de campo com as sentenciadas, por tal subversão não foi possível obter mais informações sobre a realidade de violência doméstica anterior ao cárcere, pois a pesquisa não se propunha a aprofundar as subjetividades emanadas para estes crimes por escolha e relação ética no sentido de compreender as vontades das encarceradas que mencionavam o artigo penal em que se enquadravam sem detalhar os pormenores, aliviando assim suas lembranças violentas.

---

17 DINIZ, Débora e MEDEIROS, Marcelo. Aborto no Brasil: uma pesquisa domiciliar com técnica de urna. Disponível em: http://www.ccr.org.br/uploads/noticias/PesquisaANISAbortonobrasil.pdf. Acesso em: 6 jun. 2012.
18 Entende-se por direito subjetivo o poder atribuído ao sujeito por uma norma jurídica para a perseguição de seus interesses (MAURER, 2006, p. 175).
19 Rosanita Nery dos Santos, de 48 anos, morreu por falência múltipla dos órgãos em abril de 2012, no Hospital Geral do Estado. Rosanita era custodiada da Penitenciária Feminina de Salvador, e foi condenada a 19 anos de reclusão por matar, esquartejar e fritar o marido, o tenente reformado da Polícia Militar José Raimundo Soares dos Santos, de 52 anos.

Ainda sobre o destaque para crimes de maior potencial ofensivo, a exemplo do artigo 157 do Código Penal, à luz dos dados de campo, temos nos crimes contra o patrimônio um aumento de mulheres sentenciadas por roubos qualificados, caracterizados por arma de fogo, transporte de valores, subtração de veículo automotor transferido para outro estado, concurso de duas mais pessoas e roubo com lesão grave ou morte, e restrição da liberdade de outrem.

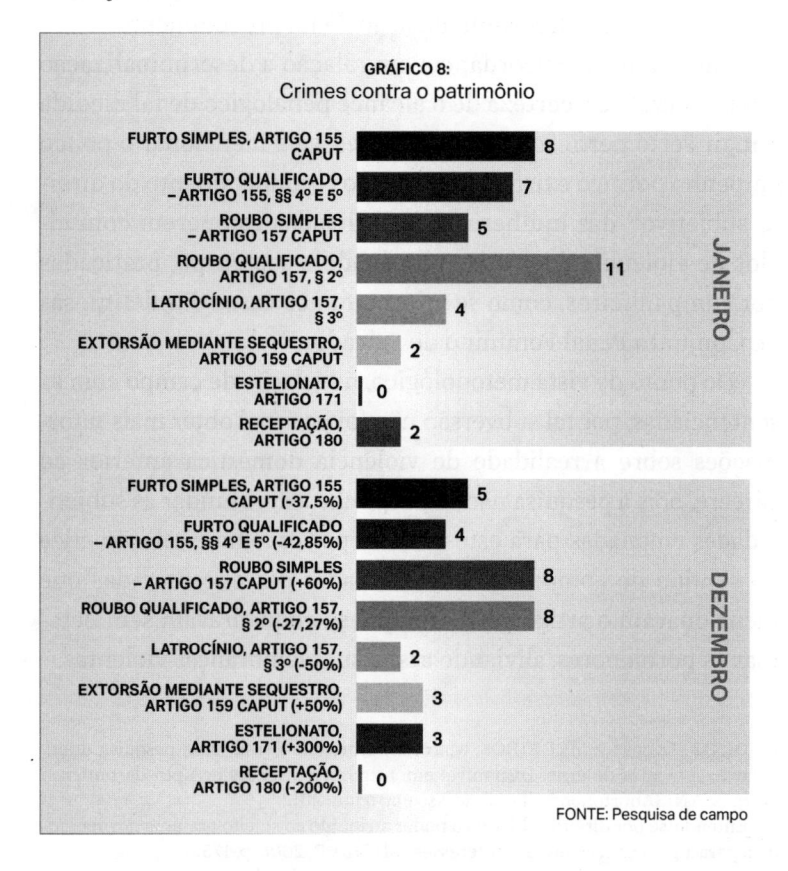

GRÁFICO 8:
Crimes contra o patrimônio

JANEIRO:
- FURTO SIMPLES, ARTIGO 155 CAPUT: 8
- FURTO QUALIFICADO – ARTIGO 155, §§ 4º E 5º: 7
- ROUBO SIMPLES – ARTIGO 157 CAPUT: 5
- ROUBO QUALIFICADO, ARTIGO 157, § 2º: 11
- LATROCÍNIO, ARTIGO 157, § 3º: 4
- EXTORSÃO MEDIANTE SEQUESTRO, ARTIGO 159 CAPUT: 2
- ESTELIONATO, ARTIGO 171: 0
- RECEPTAÇÃO, ARTIGO 180: 2

DEZEMBRO:
- FURTO SIMPLES, ARTIGO 155 CAPUT (-37,5%): 5
- FURTO QUALIFICADO – ARTIGO 155, §§ 4º E 5º (-42,85%): 4
- ROUBO SIMPLES – ARTIGO 157 CAPUT (+60%): 8
- ROUBO QUALIFICADO, ARTIGO 157, § 2º (-27,27%): 8
- LATROCÍNIO, ARTIGO 157, § 3º (-50%): 2
- EXTORSÃO MEDIANTE SEQUESTRO, ARTIGO 159 CAPUT (+50%): 3
- ESTELIONATO, ARTIGO 171 (+300%): 3
- RECEPTAÇÃO, ARTIGO 180 (-200%): 0

FONTE: Pesquisa de campo

Dos crimes liderados pelas mulheres não há nenhuma novidade no sobressalto na década de 2000, em números de detidas por tráfico de drogas, prescrito na Lei de Drogas e

Entorpecentes (Lei nº 6.368 de 1976, revogada pela Lei nº 11.343 de 15 de agosto de 2006). Do ponto de vista feminista, entendemos que cada vez mais as mulheres buscam estratégias autônomas de sobrevivência, embora autores como Athayde e Bill (2007) defendam a tese de que as crescentes prisões de mulheres são decorrentes do pouco prestígio feminino no sistema do tráfico, sendo elas aprisionadas em virtude de filhos e maridos protagonizarem atividades ilícitas.

No Conjunto Penal Feminino esse dado ganha um desenho revelador: temos também mulheres encarceradas estritamente por uso e dependência química do crack. No caso do uso tão somente de entorpecente, a referida Lei nº 11.343/2006 não prescreve a pena de privação de liberdade para as pessoas flagradas com drogas para consumo pessoal, caso característico das destas encarceradas, que além de serem pessoas necessitadas de intervenção em saúde no lugar de segurança pública, estão reclusas indevidamente.

Com a investigação de interseccionalidade tendo a prisão como lócus, como dado acrescido à resposta à hipótese de aumento do número de mulheres sentenciadas por tráfico de drogas, temos mulheres encarceradas condenadas pelo crime de tráfico de drogas em virtude de levarem entorpecentes na vagina e no ânus para companheiros encarcerados. Isso porque, mesmo em privação de liberdade, os homens conseguem manter a dependência afetiva e a coação dessas mulheres em relação a eles, fazendo a violência contra a mulher atingir níveis pouco problematizados na discussão sobre punibilidade e gênero.

As mulheres são meaçadas pelos companheiros na manutenção de vínculo obrigatório, temerosas em relação às máculas sobre as masculinidades de maridos e filhos em iminência das violências sexuais por conta de débitos adquiridos na prisão. De homens e filhos que, almejando a conquista de notoriedade por via de forjadas representações sociais no sistema prisional, obrigam essas mulheres, companheiras e mães, a cederem às exigências de garantia do sossego institucional ou em prol da continuidade das atividades ilícitas no período de reclusão. Para tanto, exigem delas o ingresso nas unidades prisionais com drogas e entorpecentes no ânus e na vagina.

Por último, temos homicidas, ladras e dependentes químicas, cuja pena foi aumentada em anos por tráfico de drogas, porque tais mulheres aceitaram retornar das visitas íntimas nas unidades prisionais masculinas com drogas e entorpecentes nas cavidades vaginais, para sustentar seus vícios, para comercializar na penitenciária feminina ou para escoar o produto de homens que sequer têm vínculos estabelecidos com estas, apesar de elas assumirem funções sociais estratégicas de esposas, em condição primeira de visita às alas masculinas.

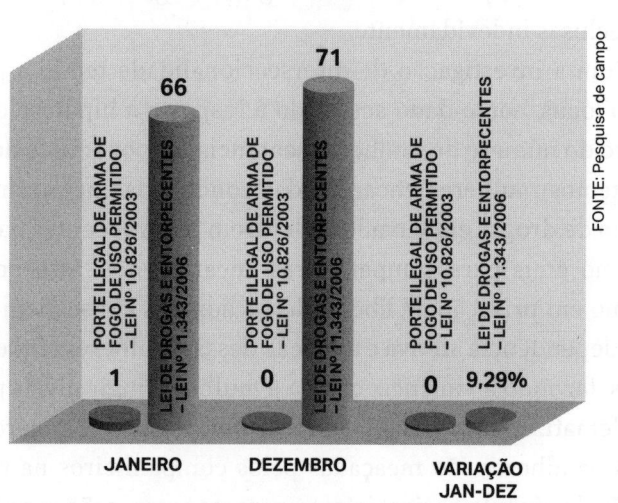

GRÁFICO 9:
Amostragem de mulheres condenadas por tráfico

	JANEIRO	DEZEMBRO	VARIAÇÃO JAN-DEZ
PORTE ILEGAL DE ARMA DE FOGO DE USO PERMITIDO – LEI Nº 10.826/2003	1	0	0
LEI DE DROGAS E ENTORPECENTES – LEI Nº 11.343/2006	66	71	9,29%

FONTE: Pesquisa de campo

Nos dados quantitativos, a parcela jovem preponderante do Conjunto Penal Feminino de Salvador responde à situação de vulnerabilidade social das mulheres na faixa etária de 18 até 29 anos.

4. AS MULHERES NO CONJUNTO PENAL FEMININO DE SALVADOR

Até 2010, na Constituição Brasileira, não havia menção ao público jovem, tal qual ocorre com as crianças, os adolescentes e os idosos. Em adição, a ausência de estatuto para jovens vinha aumentando as necessidades sociais de colocação no mercado de trabalho, inserção acadêmica, garantias de direitos sexuais e reprodutivos, dentre inúmeras necessidades amplas fora do rol de políticas públicas, dando lugar a toda sorte de estratégias de sobrevivência social das jovens por meio de investimentos sociais ilícitos.

A presença de mulheres encarceradas no Conjunto Penal Feminino de Salvador na faixa etária de 30 a 34 anos merece uma

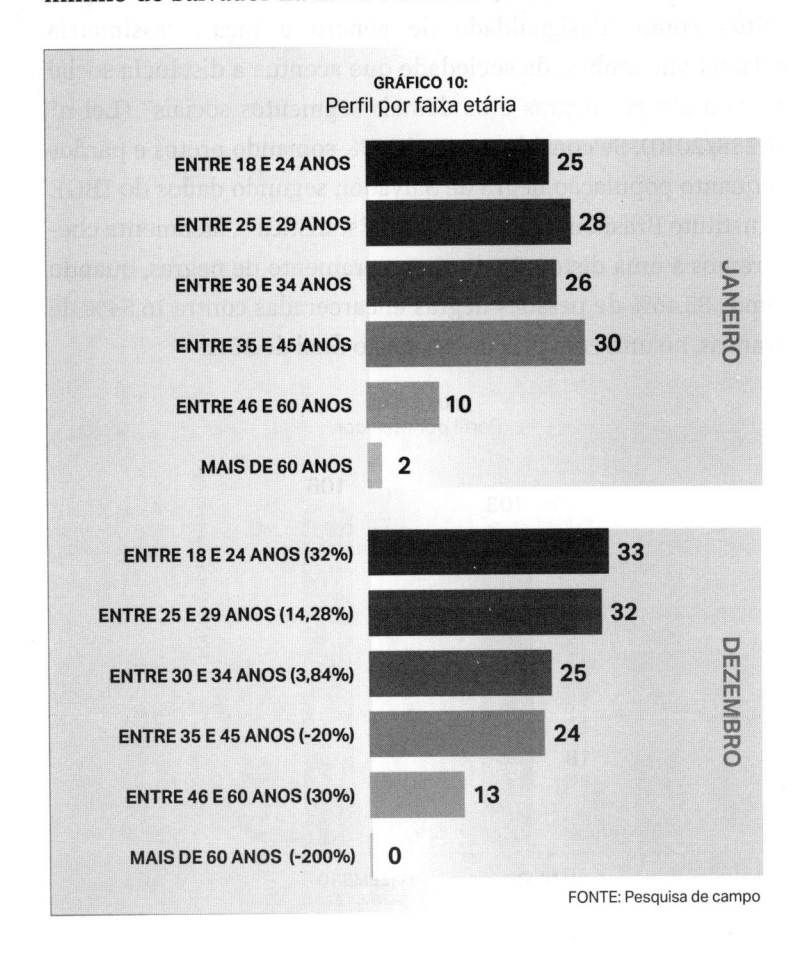

GRÁFICO 10:
Perfil por faixa etária

JANEIRO
- ENTRE 18 E 24 ANOS: 25
- ENTRE 25 E 29 ANOS: 28
- ENTRE 30 E 34 ANOS: 26
- ENTRE 35 E 45 ANOS: 30
- ENTRE 46 E 60 ANOS: 10
- MAIS DE 60 ANOS: 2

DEZEMBRO
- ENTRE 18 E 24 ANOS (32%): 33
- ENTRE 25 E 29 ANOS (14,28%): 32
- ENTRE 30 E 34 ANOS (3,84%): 25
- ENTRE 35 E 45 ANOS (-20%): 24
- ENTRE 46 E 60 ANOS (30%): 13
- MAIS DE 60 ANOS (-200%): 0

FONTE: Pesquisa de campo

constatação pontual. As vulnerabilidades destinadas às mulheres têm substância na geração, na raça e na classe social, e não exclusivamente na faixa etária. Ao sair da condição etária de jovem, a mulher leva consigo os problemas sociais estruturantes do grupo racial e geracional que vive, não ocorrendo assim ruptura de condição sociológica dos 29 anos para 30 anos de idade. São critérios jurídicos impondo parâmetros normativos do que é ser ou não pessoa jovem.

A prevalência de pardas e negras no Conjunto Penal Feminino de Salvador define o que o Estatuto da Igualdade Racial conceitua como "desigualdade de gênero e raça", "assimetria existente no âmbito da sociedade que acentua a distância social entre mulheres negras e os demais segmentos sociais" (Lei nº 12.288/2010). Se considerarmos 79,5%, somando pretos e pardos enquanto população negra de Salvador, segundo dados do IBGE – Instituto Brasileiro de Geografia e Estatística –, facilmente chegaremos a uma distorção de encarceramento de negras, quando temos 83,46% de pessoas negras encarceradas contra 16,54% de brancas, no universo prisional total ao final de 2011.

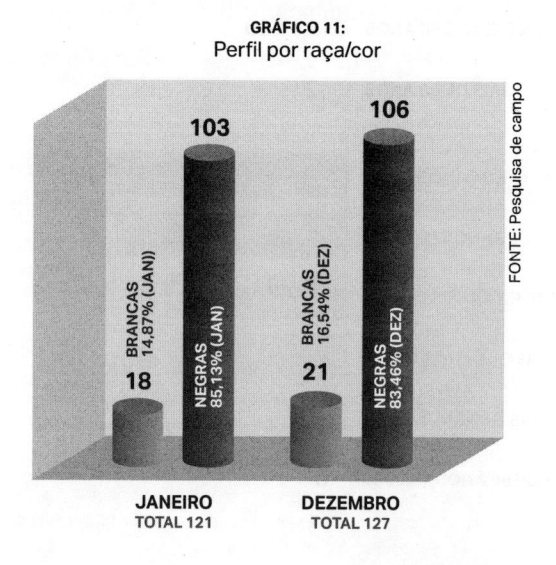

GRÁFICO 11:
Perfil por raça/cor

	JANEIRO TOTAL 121	DEZEMBRO TOTAL 127
BRANCAS	18 (14,87% JAN)	21 (16,54% DEZ)
NEGRAS	103 (85,13% JAN)	106 (83,46% DEZ)

FONTE: Pesquisa de campo

4. AS MULHERES NO CONJUNTO PENAL FEMININO DE SALVADOR

Em direção à análise, mas diferente do dado acima, tomando agora como parâmetro comparativo entre negras e brancas encarceradas, deduz-se facilmente a distorção para mais de aproximadamente 700% de negras presas em relação às brancas. Portanto, argumento segundo o qual a relação diretamente proporcional entre o percentual majoritário de pessoas negras na população soteropolitana e o contingente total de mulheres encarceradas no Conjunto Penal Feminino de Salvador não depõe contra a presença de racismo institucional, haja vista que esse conceito se vincula ao fracasso do Estado em prover atendimento adequado às pessoas por causa de cor, raça, pertencimento étnico, dentre outros marcadores similares. Em suma, colocando certos grupos humanos em desvantagem para o acesso igualitário a políticas públicas.

Assim, o retrato das assimetrias raciais e de gênero,[20] expressas no fracasso do Estado no que a tange à referida hipótese da inexistência de racismo institucional, se apresenta na não garantia proporcional da maioria negra às políticas públicas essenciais e para os direitos humanos desse público ao acesso a bens e serviços, tais quais educação básica e superior, mercado de trabalho, seguridade social, habitação, saneamento e distribuição igualitária de renda proporcionalmente entre as populações raciais.

No entanto, o aprisionamento enquanto política de exclusão social é esmagador no segmento negro quando comparado à população branca, revelando a seletividade racial do Estado enquanto regulador das relações sociais, sob a forma de inclusão das minorias raciais em políticas públicas distintas e a população negra, majoritária, em outras malquistas.

---

20 Ver Retrato das Desigualdades de Gênero e Raça 2011, estudo elaborado em conjunto pelo IPEA (Instituto de Pesquisa Econômica aplicada), ONU Mulheres, Secretaria de Política para as Mulheres (SPM) e Secretaria de Políticas de Promoção da Igualdade Racial (SEPPIR)

Podemos mencionar, ainda, a velocidade com que as mulheres brancas egressam das prisões quando comparadas às negras. São elas que adquirem indulto e remissão da pena, benefícios condicionados pelo trabalho de três dias no cárcere para diminuir um dia de pena.

Até 2008 se verificava, de acordo com Santos (2008), que as mulheres negras trabalhavam em serviços de pouco prestígio, como os de limpeza e os de exigência de força física, situação contrária à das brancas, alocadas principalmente nos serviços administrativos como trabalhos para a remissão da pena. Pertinente à compreensão das mulheres negras e pardas encarceradas serem as semialfabetizadas, elemento social de importância negativa para os trabalhos administrativos; contudo, a hierarquização entre trabalho braçal e intelectual não é valida sobretudo em se tratando de benefícios sociais para a requerida liberdade.

Em tempo, podemos mencionar na análise sobre a prevalência de negras no Conjunto Penal Feminino de Salvador a realidade de classe ou de capital social das brancas para acesso aos melhores advogados, diferentemente das negras, sempre reféns da boa vontade e da assiduidade não verificadas dos defensores públicos.

Recente acréscimo em 2011 na mencionada Lei de Execução Penal favorece também diminuição de pena para as mulheres cuja frequência escolar seja igual ou superior a doze horas para cada dia de pena, divididas no mínimo em três dias, a contribuir dessa maneira tanto para a aceleração educacional das negras em defasagem escolar como também favorecer a menor estadia dessa população na prisão.

A Lei de Execução Penal explicita ainda que a passagem e a permanência na prisão seja aumentada ou diminuída, mais pelo bom comportamento da pessoa encarcerada, segundo entendimento do corpo dirigente no judiciário, que pelos empenhos mencionados acima, das pessoas em privação de liberdade.

4. AS MULHERES NO CONJUNTO PENAL FEMININO DE SALVADOR

4.2 As dinâmicas institucionais e os dados quantitativos

Há de se considerar nos dados quantitativos a veracidade oriunda dos documentos disponibilizados pelo Conjunto Penal Feminino de Salvador em requisito ao objetivo específico proposto da metodologia da pesquisa de campo em acessar e analisar os documentos, regimentos e normas institucionais como subsídios à investigação do racismo e sexismo institucionais.

A dinâmica institucional expressa em transferências compulsórias, sob critérios subjetivos estabelecidos pela segurança, anonimato ou em discordância das demais áreas profissionais, oferece respostas plausíveis às incongruências dos dados populacionais de internas, quando equiparados às demais categorias de tipificação de crime, raça, tempo de condenação, procedência geográfica e faixa etária. As hipóteses de racismo e sexismo institucionais começam a ser respondidas no momento em que não há um rigor técnico e metodológico para atualizações dos dados quantitativos em informações penais, visto que nas mãos da equipe de segurança reside a autoridade para alternar os procedimentos de institucionalização da mulher ingressa na Unidade prisional.

É comum a chegada de internas com hematomas. Antes que se conclua toda a triagem destas, ocorre à direção ou à coordenação de segurança a decisão de devolvê-las para a delegacia, dada a não conformidade de integridade física. A depender do perfil social das internas ou até mesmo à indevida prisão, pela manhã, à tarde ou 24 horas depois são expedidos alvarás de solturas, inviabilizando o trâmite correto e a necessária concretização de cadastro em informações penais.

Semelhante situação ocorre no serviço social que, com uma única profissional em regime de 30 horas, com prestação de serviços em dias alternados, sequer consegue acompanhar o ingresso e a saída das internas. Se for o dia de folga da profissional, a anamnese social pode ser adiada para até quatro dias depois do ingresso da custodiada, bem como as resoluções de demandas imediatas de assistência social. O déficit de agentes penitenciários, bem como o regime de trabalho prescrito de 24/48h, dificulta a continuidade dos serviços e a organicidade, e fragmenta a custódia da mulher encarcerada, logo, com o compromisso no setor de dados cadastrais. Na sala do INFOPEN (Informações Penitenciárias) encontramos um quadro de atualização e piloto para registro e acompanhamento das entradas e saídas das internas do sistema prisional, entretanto, no horário de almoço é comum a chegada de internas procedentes das delegacias ou transferidas de outras unidades prisionais mandadas para galerias, e somente adiante haverá a disponibilidade de pessoal técnico para institucionalização destas.

Os dados censitários do IBGE – Instituto Brasileiro de Geografia e Estatística – são trabalhados com a definida ferramenta analítica de autodeclaração dos indivíduos concernentes a cor/raça. Mas para a agilidade de trabalho, acirrada em períodos como o do Natal, período em que se procedeu a pesquisa de campo, quando o cometimento de crimes e encarceramentos, concessão de indultos e remissão da pena ganham peculiaridade, torna-se improvável na conduta profissional a pergunta acerca da cor/raça das mulheres ingressas.

Há de se concordar que muitas delas não têm alfabetização ou criticidade o suficiente para assumir sua condição racial de pretas, brancas, indígenas ou pardas, transferindo esses dados importantes para a formulação de políticas públicas em correção de assimetrias impostas a determinados grupos étnico--raciais ao presunçoso entendimento em raça e gênero do profissional. Por fim, trata-se de uma dinâmica institucional feita e produzida no casuísmo e improviso em certos casos. No caso da mulher ingressa na unidade prisional, passa-se primeiro

4. AS MULHERES NO CONJUNTO PENAL FEMININO DE SALVADOR

pelo ritual da portaria, que vai registrar em ata a chegada e a conformidade ou não da integridade física. Em seguida, segue-se a revista em busca de possíveis drogas e entorpecentes trazidos nas partes íntimas. Uma violência à intimidade das mulheres – mas que também acontece nas prisões masculinas.

Vale a pena aqui citar Goffman (1974) na sua caracterização de "instituições totais", quando fala do rito de chegada dos internos. Adquire-se fardamento, caso haja na instituição, ocorre o fornecimento de kit de higiene contendo três a cinco itens (pacote de absorvente, papel higiênico e sabonete), a interna passa por breve atendimento em enfermagem, informações penais e serviço social, não necessariamente nessa ordem, com a agilidade tradicional. Fica, assim, concluída a primeira etapa da mortificação do *eu*. Nesse momento, para a mulher, já há certeza – ela está numa prisão.

5. EMOÇÕES ENCARCERADAS: AS PRISÕES DOS SABERES E OS SABERES DAS PRISÕES

AS CONTRIBUIÇÕES TEÓRICAS DA feminista Alison Jaggar (1997) constituem o "divisor de águas" do proposto encorajamento teórico-político em positivar metodologicamente minhas emoções enquanto mulher negra, pertencente à classe trabalhadora, territorialmente orgânica de espaços populares criminalizados como violentos, de onde emergem, expressivamente, as mulheres delituosas, "sujeitas" da pesquisa de campo. Favorecem o ponto de vista feminista que, sendo revolucionário, está engajado nas emoções, corroborando a ideia de que somente as filiações positivistas, eurocêntricas, desperdiçam os contributos epistemológicos advindos das emoções.

Portanto, em vez de reprimir a emoção na epistemologia, é necessário repensar a relação entre conhecimento e emoção e construir modelos conceituais que demonstrem a relação mutuamente constitutiva em vez da relação oposicional entre razão e emoção. Longe de impedir a possibilidade de conhecimento confiável, a emoção, tanto quanto o valor, deve ser mostrada como necessária a esse conhecimento. A despeito de seus clássicos antecedentes, o ideal da investigação imparcial, assim como o ideal da investigação desinteressada, é um sonho impossível, mas um sonho, ou talvez um mito, que exerceu enorme influência na epistemologia ocidental. Como todos os mitos, é uma forma de

5. EMOÇÕES ENCARCERADAS: AS PRISÕES DOS SABERES E OS SABERES DAS PRISÕES

ideologia que preenche certas funções sociais e políticas. (JAGGAR, 1997, p. 170)

Mas, sendo a produção de conhecimento uma tarefa política, o que fazer com tantas emoções encarceradas durante o encontro com mulheres tão parecidas comigo socialmente? Como não incorrer numa superidentificação arriscada, capaz de comprometer a cientificidade, cara aos pleitos das feministas negras, insufladas pela proposta política de garantir produções acadêmicas de visibilização das intelectuais negras? O que fazer com o impacto emocionado dessa experiência marcante no Conjunto Penal Feminino de Salvador, de convivência com mulheres que, outrora, socialmente, experimentaram atividades produtivas semelhantes às minhas, em meio às classificações raciais e geracionais igualmente subalternizadas, com a diferença de, neste momento, me encontrar na condição de intelectual?

Até alicerçar-me em emoções para a produção de conhecimento, reconheci a minha rejeição psicológica para retratar a experiência de campo no Conjunto Penal Feminino de Salvador. Sentia o fracasso na condição de mulher negra, cheia de medos epistemológicos. Um rol de sabotagens acariciava esta etapa dissertativa, visto que relembrar o Conjunto Penal Feminino de Salvador simplesmente me paralisava. Essa sensação angustiante remete ao que bell hooks nos ensina em *Intelectuais Negras* (1995) acerca da responsabilidade política das negras na produção de conhecimento, sobretudo o empenho intelectual na direção de sobrepujarmos os empecilhos postos. Ainda assim, continuava reconhecidamente inerte ao trabalho intelectual, pois as vontades políticas gritavam menos alto do que as vontades pessoais.

Para bell hooks (1995, p. 467), a intelectual não é apenas alguém que lida com ideias, "mas alguém que aciona ideias, transgredindo fronteiras discursivas porque vê a necessidade de fazê-lo". Intelectual, segundo a autora, é alguém que lida de maneira visceral com ideias, situadas numa dimensão antes de tudo política. Por esses motivos minhas emoções estão prioritariamente contextualizadas numa relação ético-política de uma mulher negra se reconhecendo e se distanciando em/de outras mulheres em um ambiente de hostilidade chamado "prisão".

Constrangimento, impotência e repulsa foram as emoções primordiais neste meu trabalho de campo no Conjunto Penal Feminino de Salvador. Sempre soube o quão perturbadora é minha identidade estética afrocentrada, porquanto nunca secundarizei os estereótipos racistas apesar do prestígio acumulado como pesquisadora, assistente social e mestranda em estudos feministas. Definitivamente, encontro-me longe do imaginário social em torno dessas intelectualidades estilizadas.

Ao atravessar a portaria do Complexo Penitenciário Lemos Brito, aos doze dias de dezembro de 2011 e ser atendida na recepção do Conjunto Penal Feminino pela chefia da segurança, pude sentir, imediatamente, o tom de desaprovação da agente penitenciária. Com uma cordialidade enfática, me apresentei como pesquisadora da Universidade Federal da Bahia, desejosa em conhecer as dinâmicas institucionais ligadas ao binômio gênero-raça, conforme atesta o ofício à Secretaria Estadual de Justiça e Direitos Humanos que autorizava o trabalho de campo.

Prontamente, obtive como resposta um silêncio de qualquer jeito, acompanhado de: "Vou verificar se a diretora pode atender você. Você marcou com ela, foi?". Nesse momento, intuí assertivamente uma acidez institucional engendrando as relações futuras para a abordagem etnográfica proposta na metodologia desta investigação acadêmica.

Passaram-se 52 minutos, até, de fato, essa agente penitenciária cumprir o expediente formal de anunciar minha chegada à audiência; finalizou seu repertório de antipatias com seu repúdio à minha identidade religiosa ao desmerecer uma guia de

5. EMOÇÕES ENCARCERADAS: AS PRISÕES DOS SABERES E OS SABERES DAS PRISÕES

Iansã presente no meu pescoço. Ponderou para outro agente penitenciário: "Não acredito em diabo nenhum, acredito em Deus. Sempre disseram que sou de Oxossi, mas não acredito em candomblé... é tudo diabo!".

A reboque dessa situação, a vice-diretora finalmente aparece, ofertando-me sua recepção na portaria, quando mostra uma solicitude preocupada com a atmosfera institucional recém--egressa de um "motim", atenta às possibilidades de insegurança a mim enquanto visitante. Após insistir acerca da viabilidade dos dados de campo para minha dissertação, do cumprimento prévio de trâmites legais à realização do trabalho, e dos problemas referentes aos prazos, consegui vencer aquela improvisação de tratamento para, afinal, ter a audiência com a diretora.

De 2007 a 2011, quando da realização de meu estágio em Serviço Social, houve mudanças na estrutura física da instituição. O prédio de funcionamento estava em reforma; a nova estrutura de decoração confessional, porém, não estava menos sombria e inóspita. O aspecto infectado e corrompido constatado na pesquisa de graduação se aprimorava nessa circunstância. Agora havia quatro cães vira-latas disputando sobras de comidas oferecidas pelo corpo funcional e a bancada instalada para os visitantes das internas. Senti um medo tão grande!

Ao adentrar a sala, a diretora me lançou um olhar surpreso, mas gentil. Em pouco mais de duas horas, entre a apresentação de meu projeto de pesquisa e o relato do sexismo institucional vivenciado por elas, segundo as próprias gestoras (diretora e vice-diretora), nós três refletimos sobre a relevância do trabalho de campo. Elas afirmaram, apesar da posição de mando que ocupam, serem vítimas da hierarquia na órbita das relações de poder institucional, manifesta no descaso e na desigualdade dispensadas à diretora e às internas, que iam desde a ausência de carro oficial para o deslocamento da própria diretoria à dificuldade em obter equipamentos públicos para atendimento médico-hospitalar e condução das encarceradas para visita íntima na unidade masculina, uma vez que o alto escalão da segurança pública é constituído e a escolta é feita por homens.

Na sala, foi possível observar a existência de uma faixa na qual estava escrito: "Justiça foi feita. Seja bem-vinda, Bertha Lutz".[21] Aproveitei o ensejo para também parabenizá-la pela promoção. Ela explicou que é agente penitenciária há dezessete anos, e que a diretora anterior, Olímpia de Gunges – a mesma do período de minha pesquisa monográfica de graduação – pediu transferência para outra unidade prisional exatamente por temer o fato de, ela, Bertha Lutz, pertencer ao quadro funcional do Conjunto Penal Feminino.

No instante em que ela tecia esses comentários, divaguei até o cenário da Administração anterior, e refleti acerca das correlações de forças presentes e determinantes na gestão de Olímpia de Gunges, a qual garantia a governabilidade, mas não tinha a governança. Compreendi, então, o quanto eu fora simplista e generalista à época ao reduzir as dinâmicas institucionais apenas ao marcador racial. Na ocasião, eu não enxergava a presença de outras matrizes de opressão confluindo para o esvaziamento da política pública.

Não percebia que a presença exclusiva de internas brancas com "formação superior" acadêmica no serviço administrativo, e que tinham praticado crimes intelectuais, fazia parte da estratégia de Olímpia de Gunges, ela também loira e com graduação universitária, para garantir a governança. Pois a colocação de internas negras em trabalhos subalternizados, como os de limpeza, e os boicotes das agentes penitenciárias aos procedimentos de segurança interna que permitiam a "virar a cadeia"[22]

---

[21] Neste trabalho, uso nomes de feministas históricas para identificar o corpo de funcionárias e as internas, para preservar sua privacidade.
[22] Expressão própria da linguagem do ambiente prisional que designa rebelião, motim na prisão, em razão de insatisfação, denúncia e negação de direitos.

frequentemente decorria da não identificação destas com sua gestão. Compreendi, afinal, o sentido da frase "Justiça foi feita", pois, como a maioria dos agentes, o acúmulo profissional de uma mulher socialmente negra, pertencente há tempos ao quadro funcional da instituição, mesmo grupo geracional e não portadora de diploma universitário, garantia ausência de conflito e que o comando da cadeia fosse favorecido por uma horizontalidade que não perpassava pelo diploma de "nível superior".

Por sua vez, o elemento político favorável à gestão de Bertha Lutz escamoteia os conflitos próprios das instituições totais como as prisões, passando a ideia da inexistência de reivindicações das internas, e impede a geração de diagnósticos para implementação de políticas públicas em gênero, raça, geração e demais marcadores sociais.

Em uma atitude de autodefesa de seu trabalho, frente ao fracasso institucional em prover o atendimento jurídico adequado, a vice-diretoria, velando-se de minha presença, fez questão em "mostrar serviço" e compromisso ético, por meio do esforço pessoal em resolver demandas das internas. Dizia assumir às vezes as funções alheias às suas competências, como as da Defensoria Pública, ao acionar sua rede de relações enquanto advogada por formação. Essa atitude, já no primeiro contato, sinalizou o comportamento da vice-diretoria em manejar os dados de campo, dando pistas de uma aproximação necessária para que o insumo do trabalho evidenciasse a inexistência de racismo e sexismo na instituição em razão de seu esforço individual. Não obstante todo o empenho, e contrários às suas expectativas, esses procedimentos constituem-se em práticas autorizadas pela instituição, pois as gestoras estavam lá enquanto Estado e não enquanto indivíduos, conforme visto no capítulo anterior.

O interesse pelo livro *A dona das chaves* (2010), de Julita Lemgruber, obra propositalmente levada por mim para audiência, permitiu enredos de depoimentos valiosos e trocas de experiências acerca de nossas percepções sobre os poderes, as instituições prisionais e as trajetórias das mulheres no enfrentamento do machismo no cárcere, quando não, no comando de uma unidade prisional.

Nosso diálogo se manteria em clima de hospitalidade se neste momento eu não desabasse em lágrimas após tomar conhecimento do assassinato de minha xará, que tive a oportunidade de conhecer em 2007, momento da pesquisa de campo do bacharelado em Serviço Social. A jovem havia sido entrevistada na condição de interna, possuía um comportamento de autoflagelação, um deles, de atear fogo ao próprio corpo, a fim de minorar sua depressão diante da abstinência química, tal qual pude acompanhar de perto. Se bem que, no momento da entrevista para a monografia, o uso de maconha estava colocado explicitamente, certamente como medida de redução de danos.

A minha emoção com a notícia pareceu ter vínculo direto com uma autoavaliação ética. Havia encontrado a jovem por algumas vezes nas ruas do Pelourinho trabalhando com sexo e, para minha surpresa, lancei um olhar de censura àquela vida de prostituição na qual ela acabou se inserindo. Por sua vez, ela passou a evitar minhas investidas pouco convincentes de aproximação.

Se por um lado eu perdi o controle de minhas emoções e chorei, colocando em xeque minha habilidade de pesquisadora "filiada" à falaciosa "neutralidade axiológica", por outro a postura distanciada das gestoras se desfez da oficialidade, deu lugar à expressão de choro em seus olhos, a falas sobre suas dores enquanto mulheres adultas que presenciam o falecimento social das mais jovens – quer seja por conta do amor unilateral aos filhos, pais e companheiros, quer seja pela "paixão" por um sujeito chamado "crack". Ao final da audiência, a direção garantiu-me a carteira de pesquisadora, válida por seis meses.

5. EMOÇÕES ENCARCERADAS: AS PRISÕES DOS SABERES E OS SABERES DAS PRISÕES

Disseram-me as gestoras que os predicados femininos das mulheres encarceradas por ora são "distorcidos" à afetividade homossexual – para mim uma forma de Amor –, sobretudo segundo elas devido à quase obrigatoriedade de visitas íntimas das mulheres aos seus maridos encarcerados, sob pena de agressão destes.

Ainda há de se considerar esta pesquisa sendo realizada dentro de um clima natalino, ambiente propício para aflorar nas encarceradas dúvidas, mágoas, solidão institucional e reflexões sobre projetos de vida inseridos numa realidade de privação de tudo, além da liberdade. Entendi perfeitamente a ressalva das gestoras quanto ao adiamento daquele trabalho de campo. As internas estavam demasiadamente tristes. Eu mesma percebi isso, às pressas, no corredor, observando as sentenciadas no trabalho de limpeza dos corredores.

Havia poucos dias que uma mulher idosa, mãe de uma interna, teve seu útero exposto por conta do procedimento de revista, segundo a equipe dirigente. Como é sabido, para ingressar na Unidade, as visitantes passam pela conduta obrigatória de agachar-se três vezes de frente e de costas, acompanhada da averiguação das cavidades anal e vaginal, como formas preventivas ao ingresso de entorpecentes e armas no complexo penitenciário.

Dentre os regimentos, memorandos e regulamentos oficiais e extraoficiais para procedimentos administrativos aos visitantes, o corpo de segurança do Conjunto Penal Feminino de Salvador preconiza o não uso de roupas amarelas, azuis e pretas, para não confundir com os fardamentos das internas, do pessoal de limpeza e dos agentes penitenciários, respectivamente, e evitar fugas; nem sandálias das preferências populares, para não esconder drogas e entorpecentes, a exemplo das *keners*, além de refeições preparadas externamente e refrigerantes de cor escura, para evitarem a responsabilização da instituição por envenenamentos, muitas vezes utilizada como estratégias das encarceradas para conseguirem transferência ou prisão domiciliar.

Esses procedimentos não levam em consideração os esforços de muitas famílias, em sua maioria de parcos recursos financeiros, para deslocar-se ou providenciarem alimentos, roupas e materiais de higiene pessoal para a encarcerada. Não poucos pais, mães – muitas delas idosas – irmãs, irmãos e demais parentes vêm de outros longínquos municípios da Bahia ou bairros de Salvador, porém, com total ignorância da existência de tais regras, acabam frustradas em sua visita por não se adequarem às normas. Muitas dessas famílias sequer têm acesso às dependências da Unidade e o direito de ver suas mães, filhas e esposas por estas "terem tomado bonde" – transferência da interna de uma unidade prisional para outra em município diverso, motivada por escolhas arbitrárias da instituição ou por mau comportamento real da encarcerada. Mais adiante aprofundaremos os critérios subjetivos nas escolhas das que recebem esse tipo de punição.

Nos procedimentos de segurança referentes à autorização para entrada de alimentos na Unidade por parte dos visitantes, antes existiam normas menos rígidas. Nesse primeiro contato, ouvi e constatei a veracidade das reclamações das internas sobre a qualidade da alimentação produzida dentro da própria Unidade e destinada a elas, considerada péssima. Diferentes eram os alimentos preparados para o corpo funcional, mais diversificados, e de aspectos mais apetitosos. Novas normas foram introduzidas, impedindo a entrada de alimentos preparados pelos visitantes, o que muito desagradou as internas, obrigadas a ingerir a comida da prisão e a se exporem às maledicências protagonizadas pelas internas que "pagam rampa" – local onde é servida a alimentação das internas, e ao ato de servi-la – para remir a pena.

5. EMOÇÕES ENCARCERADAS: AS PRISÕES DOS SABERES E OS SABERES DAS PRISÕES

Sobre as mulheres que realizam a atividade de "pagar rampa", vale a pena refletir um pouco mais. De arquétipo viril, são mulheres majoritariamente negras de corporeidade obesa, estatura alta, identidade lésbica. As não negras destacam-se pelo arquétipo masculino de atitudes mais grosseiras, de nomes sociais masculinos. Ao "pagar rampa", aproveitam-se da posição privilegiada com o intuito de atingir as que são suas desafetas, cuspindo e extraviando as quentinhas com alimentos e reduzindo a quantidade dos alimentos para elas.

As alterações nas normas de entrada de alimentos se deram em razão da estratégia utilizada por Maria Bonita. Conhecida nas folhas policiais dos jornais de grande circulação por sua liderança no tráfico de drogas e entorpecentes no Subúrbio Ferroviário de Salvador, por corromper policiais e pela acusação de vinte assassinatos, não obstante pertencer a família de militares, Maria Bonita, em contato com ela na "base" – lugar onde se ouvem as queixas e solicitações das internas –, disse-me que queriam matá-la. Ela foi vítima de envenenamento por alimentos introduzidos na prisão, o que motivou decisão judicial de impedir a entrada de alimentos para toda e qualquer interna. Por consequência, passou a ser vítima de maus tratos, agressões, isolamento por parte de todas as internas. Coagida, passou a se utilizar de outras estratégias que incitassem sua prisão domiciliar, como não mais tomar banho, comer fezes, vomitar nas quentinhas das internas. Durante as visitas e as entrevistas, pude observar o alto grau de debilitação física dessa interna. Após nove meses presa, foi beneficiada com a prisão domiciliar.

Aos sábados, apenas uma sacola de utensílios era autorizada a entrar; a visitação foi condicionada à aquisição de carteira institucional fornecida depois de oito a dez dias; ficaram terminantemente proibidas visitas de indivíduos com antecedentes criminais; parentes somente os de primeiro grau, excluídas aí noras, primas, tias ou pessoas cujo parentesco não passasse por consanguinidade ou união estável comprovada; se mãe e filha foram presas, saindo uma, a outra, na condição de egressa, não poderia realizar visitas; o mesmo procedimento valia para companheiras afetivas não reconhecidas legalmente. Para ter direito a visita íntima era necessário apresentar documentos de paternidade/maternidade, conta-conjunta ou declaração da comunidade sobre a união estável. Os objetos de higiene pessoal, como os barbeadores, deveriam ser doados por instituições religiosas, entregues às quintas-feiras, sob a condição de devolução do anterior.

A característica marcante da dinâmica institucional está no fato de a televisão permanecer religiosamente sintonizada nos programas "Se Liga Bocão" e "Na Mira", com aqueles espetáculos midiáticos denunciados largamente pelos movimentos antirracistas e de direitos humanos. Programas, sabemos, em que se verificam a exaltação das instituições policiais, o sensacionalismo, a estigmatizaçao, o aviltamento dos direitos humanos e a dignidade da pessoa humana, a depreciação dos bairros pobres e negros.

Compõem a rotina institucional os gritos de dores por problemas odontológicos, os pedidos recorrentes das encarceradas para que suas mães não as visitem, e o discurso bíblico de expiação dos pecados ofertado como compaixão por parte das agentes penitenciárias, beirando a uma maternagem pentecostal. Os depoimentos sempre são forçados, o sigilo imperceptível, as trocas de favores, regulares. As falas das internas indicam que o Hospital de Custódia e Tratamento é o pior lugar para elas.

Não existem bebedouros, sendo a água exclusiva das repartições. Se a família traz, deve restringir-se a cinco litros. O "orelhão" com telefone público, além de servir para a manutenção de laços afetivos, também serve como receptor de ameaças ou conspirações com outras unidades prisionais, a exemplo de internas que ligam para as unidades masculinas e denunciam

5. EMOÇÕES ENCARCERADAS: AS PRISÕES DOS SABERES E OS SABERES DAS PRISÕES

falsos estupros de crianças, praticados por seus companheiros, criando dessa forma a revolta e o linchamento desses internos pelos demais encarcerados.

Mas o telefone público serve para as mães sondarem o rendimento escolar dos filhos, consultarem a respeito da saúde das mães, acompanharem a idoneidade comunitária destes. Para tanto, desembolsam dois reais para cada unidade de cartão telefônico. No cenário recente, já não existe comercialização superfaturada de produtos pelas "prezadas" – denominação atribuída às agentes penitenciárias pelas internas – a despeito de as funcionárias negras com cabelos naturalmente crespos se utilizarem dos dons profissionais das internas para trançarem os seus, exercitando a cumplicidade estética ligada à autoestima, sem desvencilhar-se do uso do trabalho não remunerado e acessível.

bell hooks (1988), no artigo "Alisando nosso cabelo",[23] a respeito das mulheres negras e a relação com o próprio cabelo, reafirma "o manifesto de que um dos fatores mais poderosos que as impede de usarem o cabelo sem química é o temor de perder a aprovação e a consideração das outras pessoas" (1988, p. 6). No caso das internas negras e das "prezadas" do mesmo grupo racial, ocorre um escoamento das hierarquias em direção a uma valorização identitária, para além da condição institucional de poder da mulher negra que guarda as chaves e aquela aprisionada por essas chaves. Trata-se de um fenômeno oriundo dos cursos profissionalizantes de trançados oferecidos pela instituição, realizados por ativistas negras.

Contudo, da prisão não extraí exclusivamente dados da mera observação sistemática. Percebi-me muitas vezes ligada a emoções mais distintas a estas. Verifiquei duas mulheres negras trocando afetividade a partir do cabelo, símbolo de resistência

---

23 Tradução livre de *Straightening our hair*.

identitária dos grupos historicamente alijados pelo Estado no tocante à valorização ancestral de suas cosmovisões africanas.

No cárcere, as mulheres não são somente mulheres. Não são somente jovens, negras, velhas, brancas, estrangeiras ou lésbicas. Elas são todas essas mulheres juntas, simultaneamente, tramando, traindo, contaminando, agredindo, traficando, roubando, mentindo. Intriga o mais competente terapeuta a facilidade com que elas dissimulam, choram numa fração de segundo, riem na mesma proporção e confundem a cabeça de qualquer feminista ingênua e bem-intencionada.

Fiquei impressionada com a austeridade de certas internas que tatuavam sua pele com o uso de agulhas de costura e tintas para tecido, sem manifestarem sensações de dor, os nomes de suas mães, filhos e amores, sem tomarem os cuidados em higienizarem as agulhas, e sem preocupação com a integridade física e a saúde de outras internas. Muitas dessas tatuadoras têm conhecimento de que são portadoras de doenças sexualmente transmissíveis, soropositivas, HIV positivo, mas, ainda assim, utilizavam-se da mesma agulha para tatuarem as demais que com elas "tiravam cadeia",[24] além do fato de serem elas mesmas as manicures. Presenciei o desespero de algumas internas ao saberem que tinham sido contaminadas por participarem desses rituais de credenciamento e resgate de pertencimento familiar e sentimental. A reação das "prezadas" a tal descoberta vexatória era de um seco: "Bem-feito, quem mandou usar?! A vaidade é prejudicial".

Não posso negar as sequências de vezes em que essas mulheres tatuavam umas às outras ou reafirmavam sua feminilidade; ao fazerem as unhas, me deixaram insegura, desconfiada e cautelosa por diversas ocasiões. Imaginava se não poderia ser eu vítima de alguma conduta descuidada, já que eu

---

[24] Expressão que significa o fato de "estar encarcerada".

5. EMOÇÕES ENCARCERADAS: AS PRISÕES DOS SABERES E OS SABERES DAS PRISÕES

encontrava-me amorfa, não pertencia ao grupo das internas nem ao das "prezadas", mesmo encontrando-me em situação privilegiada e ao mesmo tempo arriscada por ter acesso a informações que poderiam ser úteis a um dos grupos. Essas mesmas informações eram utilizadas para testar minha confiabilidade por ambos os grupos.

Logo no segundo dia, muitas internas criaram artifícios para se aproximarem de mim e conversarem. Entretanto, meus gestos de cordialidade não raras vezes foram interpretados como passíveis de futuras relações homoafetivas. Presenciei duas internas apanhando daquelas que seriam suas companheiras depois de denunciadas por terem feito um investimento amoroso sobre mim.

Ao mesmo tempo, me questionava sobre meus preconceitos, pois reiteradas vezes as internas me elogiavam, tentavam me presentear, me paqueravam, desabafavam seus medos e angústias, porém era latente na minha consciência que aquela confiança e simpatia poderiam ser insinceras, pois não é possível se identificar com um time e vestir a camisa do adversário.

A minha gentileza, ética profissional, horizontalidade interpessoal, chamamento nominal das internas e proximidade com elas gerou e consolidou uma empatia com esse grupo, que passou a me procurar para apresentar diversas queixas. Procurava dizer da minha competência naquele espaço, e da provisoriedade daquela relação. No entanto, essas mesmas características afastaram os profissionais mais ríspidos de mim e da minha investigação acadêmica; não conseguia almoçar com tranquilidade no refeitório dos funcionários. Na minha cabeça estava traindo as internas, porque eu via aquela comida crua seguir para a "rampa", enquanto, no refeitório, eu recebia até sobremesa.

Observava quando uma marmita não seguia em conformidade, no caso de uma interna malquista institucionalmente. Não deglutia, com isso, a minha comida, nem a tranquilidade intergrupos profissionais nesse momento de interação. Decidi que precisava de dados de campo, mas que estes não deveriam sequelar minhas crenças a respeito dos direitos humanos.

Não bastasse meus conceitos sobre as internas, passei a ser vítima da chefia da segurança. A toda hora me tratava aos gritos, numa atitude, no mínimo, de infantilização. O tratamento a mim dispensado era de uma menina ingênua diante das falas excitadas dos agentes penitenciários quando viam a midiatização dos assassinatos de jovens negros no programas de meio-dia, como o "Se Liga Bocão"; ou por meus gestos de indignação com as ridicularizações a que eram submetidas certas internas. Em provocação, a chefia da segurança disparava sem olhar pra mim: "Olha para isso! Bando de vagabundo e vagabunda! Tem que matar tudo. Ainda vêm essas descaradas da universidade para cá, defender bandido. Uma dessa precisa ser assaltada, agredida, para ver se ainda fará discurso de direitos humanos".

Embora não se dirigissem diretamente a mim, eram falas sucessivas e cada vez mais desrespeitosas, a ponto de as demais agentes passarem a me dispensar desculpas rotineiras e me alertarem da minha energia espiritual forte, principalmente quando acompanhada de acessórios de proteção, como os fios de contas dos orixás. Adiante, com desculpas ainda mais densas, passaram a me recomendar o não uso de roupas de "negro", referindo-se às roupas coloridas, com motivos africanos. Algumas vezes me interrogavam sobre eu ser de candomblé, de qual terreiro e de que orixá.

Comecei então a me adequar ao ambiente a fim de evitar conflitos capazes de prejudicar meu trabalho de campo. Assim como percebi que, de maneira não intencional, por vezes acabei oprimindo as internas, pois enquanto a maioria delas estava ali sem direitos ao exercício da sua feminilidade, sem condições de cuidar como desejavam de seus cabelos e desidentificadas na

5. EMOÇÕES ENCARCERADAS: AS PRISÕES DOS SABERES E OS SABERES DAS PRISÕES

farda, eu estava sempre impecavelmente maquiada, de unhas feitas e bem-vestida.

Na mesma proporção percebia que uma aproximação de vestuário não era a melhor das soluções, haja vista que qualquer grupo humano espera uma diferenciação entre os poderes absolutos e os conjunturais. Não podia mudar a partir de superfialidades, mesmo porque a intenção é mais convincente que as aparências construídas. Ademais, as internas sempre me elogiavam, muitas diziam o quanto minha fisionomia lembrava um irmão, uma irmã, ex-namoradas e até artistas famosas.

Se por parte das internas surgiram inúmeros elogios e vínculos, dos advogados das internas se dava o oposto. Não foram poucas vezes nas quais fui confundida com parente de alguma interna. No olhar deles, delas, de algumas agentes de segurança não negras, dos negros e da chefia de segurança, havia o incômodo com a minha presença de mulher negra. A impressão dada era de uma vontade oculta de me encarcerar, afinal estava no lugar, contudo, no não lugar. Já a pesquisadora estrangeira, que também se fazia presente diariamente na Unidade, encontrava-se inserida em um clima de benevolência, cordialidade e presteza, de quase benesse para as internas.

Algumas vezes titubei, pensei em desistir. Estava ficando insustentável aquele tipo de tratamento dispensado pela chefia da segurança. Passei a ser identificada como a menina que tem pena das ladras, das assassinas, das traficantes. A inocente que se deixa levar pela lábia das internas. A menina que anota tudo no caderno, a menina que só fica na maciota. A menina proibida de ir para celas. A menina que não conhece bandido. A menina que tá deixando as lésbicas apaixonadas. A menina.

Passei a ter duas opções dolorosas: ou aguentar na recepção os insultos cada vez mais agressivos da chefia de segurança ou almoçar na instituição, participando de rodas de conversas ligadas às transferências compulsórias de internas, os "bondes", descasos diante de problemas apresentados e aproximações ideológicas estratégicas para maior aceitação do trabalho de campo.

Uma emoção presente no trabalho de campo, como já dito, era a indignação diante de tratamentos diferenciados, não somente em direção às presas, mas a mim quando comparada à outra pesquisadora branca, estrangeira. Ela mesma, numa atitude de bom senso, chamou-me atenção para o fato de que percebia os privilégios de acesso oferecidos a ela para as entrevistas, oposto ao tratamento destinado a mim. Ela circulava livremente pelas galerias, já eu me restringia à "base" – local onde as internas são recebidas pelas agentes penitenciárias para apresentar queixas, solicitar direitos.

Essa pesquisadora chegou a sugerir que eu procurasse as entidades religiosas como forma de angariar a simpatia dos funcionários, posto que na Unidade ocorrem, às quartas-feiras, reuniões de grupos evangélicos formados estritamente pelos profissionais daquela Unidade prisional. Aliada a isso, as religiões neopentencotais seriam as mais credibilizadas na instituição. Com isso, descrevo aqui uma tentativa de laicidade por hoje existir a assistência religiosa às mulheres candomblecistas, e percebi um agente penitenciário apreciando discretamente a religião de matriz africana durante os cultos presididos por um jovem sacerdote.

5.1 O "Bonde" da sexta-feira

Sexta-feira é dia sagrado para a religião católica e para as religiões de matriz africana, por ser um dia dedicado ao Senhor do Bonfim e a Oxalá, respectivamente, e por ser um dia em que os adeptos dessas religiões se voltam para a paz. Na sexta-feira, dia 16 de dezembro, dei continuidade a minhas atividades rotineiras no campo. Dirigi-me à "base" para proceder aos atendimentos às internas, observar o levantamento das necessidades que passam pela diretoria, das demandas encaminhadas ao serviço social e a entrega de "catatau", um bilhete ou carta que as internas direcionam à diretoria ou entregam às "prezadas", com informações preciosas do mundo das internas, visando algum tipo de benesse, como a venda de cigarros, mudança de cela para "paquerar" alguma mulher por quem esteja interessada. E foi esse espaço que escolhi para capturar dados de pesquisas não obtidos pelas entrevistas ou pela observação sistemática, exclusivamente.

Na "base", eu, ao lado de duas agentes penitenciárias, fazia o trabalho de escuta das queixas das internas. Muitas delas se inscreviam para o atendimento só para sorrir ou chorar, e iam embora, por mais que a interna demonstrasse uma necessidade de desabafo.

Ocorreu assim: a primeira interna neste dia foi à "base" nos informar que Maria Bonita não toma banho, que não queria mais dividir a cela com ela e queria ser remanejada para outra galeria. A resposta mais comum para o atendimento a pedidos desse gênero era um categórico Não! As galerias tinham suas formas de diferenciação, como as de estrangeiras, as classificadas por crime, as sentenciadas e as provisórias, além das que ficam no corredor. Quando as galerias das provisórias estão abertas, as das sentenciadas ficam fechadas. Mas a frequência na "base" era: pedido de audiência com a diretora, acompanhamento dedicado pelas agentes quanto aos processos. Eu fazia questão de ouvi-las atentamente e procurava entender aquelas emoções. Muitas delas vinham com uma carga de ódio que me deixava fragilizada espiritualmente.

Ainda naquele dia, três internas me pediram para serem transferidas para unidades prisionais de suas cidades, já que se encontravam longe de casa e de seus familiares, e queriam manter ou restaurar os vínculos. Também mencionaram agendas de exames, reclamando que há dois anos esperavam por esse atendimento clínico. Outra interna simplesmente foi pedir para que autorizassem a entrada de farofa, mas ouviu da agente: "Não. Pra quê, se a farofa é de exu?!". Essa mesma interna reclamou da ausência do cirurgião, o qual ela nunca viu, apesar de aguardar o atendimento. Nesse instante ouviu uma represália da agente: "Você vai ficar um mês sem farda!".

Em seguida, passamos a atender as provisórias, as quais reclamavam que as sentenciadas exercem poder sobre elas. Tomam delas comida, farda e barbeador. A interna anterior procurou a minha adesão emotiva sobre a situação dela, por saber ser eu assistente social, chamando-me de "nega". Imediatamente, foi repreendida pela agente de segurança. Ela também foi repreendida por ter violado a norma de não ser permitido o uso de cueca *box*. As demandas foram muito parecidas. As internas também muito parecidas, todas tatuadas, desdentadas e com *piercings*, queixosas da demora da autorização para realizar-se o atendimento.

Todas nesse momento sorriam, me alisavam, me olhavam no fundo dos olhos, indagando sobre minha presença naquele espaço. Vinham com cordialidades e me elogiavam. Em alguns momentos as internas e as agentes penitenciárias falavam sobre o tempo em que essas mulheres passam na cadeia. Por serem usuárias de drogas, constantemente são flagradas e retornam à prisão pouco mais de três meses depois de terem saído, a exemplo de Giselda.

Quando eu a conheci, ela trabalhava para remir a pena em uma fábrica de *lingerie*, e eu acreditava ser ela sentenciada, mas descobri que era provisória e sua reincidência se deu por conta de ser usuária de drogas. Então percebi que, antes de um problema de segurança pública, apresentava-se na Unidade um problema de saúde pública. Muitas das internas não passavam mais de três meses sem "tirar cadeia". Não se tratavam de mulheres traficantes, mas de dependentes que cometiam pequenos delitos para manterem seus vícios.

5. EMOÇÕES ENCARCERADAS: AS PRISÕES DOS SABERES E OS SABERES DAS PRISÕES

Após as falas sobre o tempo de permanência na prisão, passamos, as agentes e eu, a falar sobre o "caô", discursos falaciosos, enganadores, das internas, com o intuito de desviar o foco, gíria da prisionização. As agentes se preocupavam que eu saísse dali com uma visão demonizada do trabalho delas na prisão, já que o discurso de vitimização das internas também era mentiroso e enganador.

As internas também pediam visita íntima com companheiros com quem elas não tinham ainda relação estável. Para as agentes penitenciárias uma relação de apenas três meses, de pessoas não casadas e sem filhos, não era suficiente para institucionalizar a relação e ensejar a autorização para as visitas. Muitas internas alegavam ter filho com seus companheiros, mas as crianças ficavam com suas irmãs, sogras, mães ou cunhadas. Essa atitude depunha contra elas por serem interpretadas como "caô", ou seja, falácia, mas também denota a irresponsabilidade paterna que delegava a criação dos filhos àquelas na ausência da mãe. De qualquer modo, observei a constituição de mecanismos institucionais para inviabilizar a visita íntima.

A Instituição mostra os tentáculos de uma moralidade conservadora e de sua estrutura sexista na medida em que fora dela as pessoas costumam estabelecer relações sexuais esporádicas, muitas vezes não censuradas e noutras até motivadas. Internamente, esses mecanismos, com o intuito de inviabilizar a visita íntima, denotam o controle do Estado sobre o corpo da mulher, invadindo do privado ao íntimo ao negar-lhe a autonomia sobre seu corpo, ditando moralmente quais práticas sexuais lhe são permitidas.

Não pude deixar de observar a ausência mais uma vez de carro para escolta e condução das internas ao atendimento médico-hospitalar fora da prisão. Nesse sentido, muitas internas reclamam de dores e outras complicações de saúde à noite, mas a carência de profissional da saúde, principalmente nesse horário, sujeita-as a que os funcionários só tomem conhecimento no dia seguinte por ocasião do "confere", procedimento de checagem do número de internas nas galerias. Não pude deixar de observar também nesse dia que as mulheres brancas chegavam a ter a assistência de até três advogados. Durante o trabalho na Unidade não fiz contato com nenhum Defensor Público.

Somente com a ausência do direito à saúde compreendi de que modo o sexismo institucional apresentou-se mais elaborado na prevalência de mulheres encarceradas por problemas relativos às drogas frente a outros delitos motivadores da prisão (pequenos furtos e outros de pequeno potencial ofensivo). Porém, resguarda uma omissão anterior quanto à dependência química, tomada como crime, cuja reincidência é utilizada pelo Estado como opção não ingênua de limpeza étnica de pessoas em situação de rua, e paradoxalmente da prisão como lugar de recuperação e reinserção dessas pessoas no convívio social. O que observei na verdade é que muitas daquelas mulheres eram clientes assíduas do sistema prisional ou acabavam mortas, a exemplo de minha xará já citada. Uma interna, inclusive, ainda na "base", disse-me que seu problema enquadrava-se no "dezesseis" e não no "trinta e três", referindo-se aos artigos da Lei de Drogas,[25] em que a condição de usuária ou dependente deveria ser comunicada ao órgão municipal de saúde, e não seria caso de prisão se elas não eram traficantes.

---

25 Lei nº 11. 343 de 23 de agosto de 2006:
    Art. 16. As instituições com atuação nas áreas da atenção à saúde e da assistência social que atendam usuários ou dependentes de drogas devem comunicar ao órgão competente do respectivo sistema municipal de saúde os casos atendidos e os óbitos ocorridos, preservando a identidade das pessoas, conforme orientações emanadas da União.
    Art. 33. Importar, exportar, remeter, preparar, produzir, fabricar, adquirir, vender, expor à venda, oferecer, ter em depósito, transportar, trazer consigo, guardar, prescrever, ministrar, entregar a consumo ou fornecer drogas, ainda que gratuitamente, sem autorização ou em desacordo com determinação legal ou regulamentar:
    Pena – reclusão de 5 (cinco) a 15 (quinze) anos e pagamento de 500 (quinhentos) a 1.500 (mil e quinhentos) dias-multa.

5. EMOÇÕES ENCARCERADAS: AS PRISÕES DOS SABERES E OS SABERES DAS PRISÕES

Nesse contexto, impossível não me reportar à publicidade do Governo da Bahia na época visando ao combate ao tráfico e ao consumo de crack. O Governo prentedia alcançar o público por meio da campanha: "Crack: é cadeia ou caixão", bem como de outra na qual veiculava informação de que cerca de 80% dos homicídios cometidos na Bahia ocorriam por conta do crack. Propaganda irresponsável refletia a concepção do Estado no enfrentamento a esse problema social, direcionando-o à competência da segurança pública ao invés de uma demanda de saúde pública. Ao mesmo tempo, a campanha era uma sentença de morte ou cadeia para as famílias que tinham algum de seus membros, geralmente jovens e negros, dependente da droga.

Talvez por conta do sentenciamento da campanha do Governo, a preocupação das mulheres encarceradas era maior em relação às crianças e aos adolescentes. Notei, enquanto permaneci na "base", que as ligações no orelhão para as famílias, na maioria das vezes, tinham o propósito de saber se o filho ou filha estavam indo à escola, se tinham passado de ano, se estava bem de saúde, quais eram as companhias que constituíam seus grupos de amigos, se permaneciam mais em casa, se estavam com alguma ocupação lícita. Percebi no tom e na expressão daquelas mulheres a preocupação de que seus filhos não fizessem parte do diagnóstico do Estado, em suas estatísticas.

Constatei a presença de três gerações de mulheres de uma mesma família encarceradas por terem na atividade ilícita associada ao tráfico a principal atividade econômica. Na "base", uma interna disse ter sido vítima de vingança por parte de outra que usou o telefone para manter contato com a Unidade masculina, transmitindo o fato por ela criado de que o companheiro da primeira, também ele interno, havia estuprado sua filha, apenas com o intuito submetê-lo a maus tratos.

A garantia da paz entre as internas era atribuída às que possuíam arquétipos masculinizados. Por isso, as novas internas eram incentivadas a estabelecer relações com estas se quisessem assegurar sua integridade. As portadoras de HIV/AIDS emprestavam para as outras alicates e outros instrumentos perfurocortantes, sem que houvesse cuidado maior por parte da Instituição. Ouvia com frequência sobre os pedidos das internas de terem atendimento médico: "Vamos torcer pra que o médico venha. De repente a médica aparece". Na ausência do médico, outra resposta era: "Tenha fé e se apegue com deus". Sem contar que as agentes, a partir de critérios meramente subjetivos, selecionavam as internas que fariam consulta. Dessa listagem, o médico realizava outra seleção. A interna recebia como resposta dos agentes que "porrada também resolve". Angélica, reclamando de dores no dente, disse ter a caixa do remédio chegado vazia. Outras resmungavam dizendo estarem ficando loucas.

O critério seletivo para as que teriam direito ao trabalho para remir a pena era favorável às sentenciadas. A sopa servida ao final da tarde era aguada e a carne tinha aspecto de sebo. As internas estrangeiras eram as que mais careciam de roupas e materiais de higiene, vítimas de desconhecerem o idioma e não conseguirem denunciar o furto de seus objetos. Tantas outras choravam por não conseguirem falar com seus maridos indiferentes.

Apesar das inimizades entre internas, a solidariedade se manifestava na algazarra com a saída de qualquer delas que fosse beneficiada com o alvará de soltura, comemorado tanto pelas colegas quantos pelas desafetas, acompanhada de coro: "Ela merece, ela merece!". Com a notícia de liberdade parecia que a "cadeia ia virar".

Motivo especial de alegria foi a conquista da liberdade de Daniele de Oxum, que a conseguiu em detrimento de todas as internas pertencentes à religião pentecostal, tida como mulheres abençoadas, porque o Babalorixá Gerson de Oyá teria feito uma "limpeza" nela, e, sete dias após, foi expedido seu alvará. Ela contou-me sua história de amor com um "viado" ou "piolho", termos que designam as mulheres lésbicas com arquétipos masculinos, que a havia colocado em um "esparro", afirmando ter se apaixonado pelo "piolho" errado, e por isso apanhado durante seis meses.

Fato relevante naquela sexta-feira foi eu ter sido apresentada ao Babalorixá Rogério de Omolu. Segundo ele, há 22 congregações cristãs dentro da Penitenciária que veiculam o discurso de os crimes terem sido cometidos pelos orixás, os demônios. Sua aproximação com a Unidade deu-se em razão de um chamado de uma entidade espiritual de nome Sultão das Matas, desde o ano de 2008. Naquela sexta, era o retorno dele à Unidade após sete meses de ausência, comemorado efusivamente pelas internas que se identificavam com o candomblé, gerando grande comoção.

A presença de um Babalorixá na Unidade prisional prestando assistência religiosa foi motivo de alegria e expectativa para mim, pois, além de ter observado muitas mulheres pertencentes ao candomblé, também queria saber se ele era submetido ao procedimento da revista nos mesmos moldes dispensados aos pastores evangélicos e seus obreiros, e aos padres católicos. Anteriormente, já havia observado que estes, na Unidade, encontravam-se acima de qualquer suspeita, e eram revistados apenas com o uso de mecanismos eletromagnéticos, detector de metais. Imaginei ser essa a condição do Babalorixá Rogério de Omolu.

Sabendo da prática do racismo institucional, não fiquei surpresa, e sim bastante indignada, quando soube que, no seu caso, ele era submetido à revista comum a todos os demais visitantes, em que todos os seus pertences eram vasculhados, inclusive objetos sagrados, além de ser obrigado a se agachar para revista quanto à presença de entorpecentes no ânus. Dias depois, em entrevista, negou a fala anterior e disse que era prática da unidade masculina; na feminina, passava apenas pelo detector de metais, assertiva na qual suspeitei da pressão do quadro funcional do Conjunto Penal Feminino de Salvador sobre ele, sob pena de ter seu trabalho de assistência ameaçado.

Aquele dia foi, de fato, um dia muito tenso dentro da Unidade, não só pelo retorno do Babalorixá, mas também pela realização de cultos de candomblé com incorporações, em um lugar predominantemente pentecostal, assumido, a propósito, pela maioria das agentes penitenciárias. Mas o momento marcante foi sem dúvida o "bonde da sexta-feira". Nele, sem terem sido comunicadas previamente, quinze internas seriam transferidas para outras Unidades prisionais. Isso significava a ruptura dos tênues vínculos estabelecidos por elas naquela prisão com outras internas, e a fragilidade dos mesmos mantidos até onde iam os interesses institucionais; o desfazimento de relações afetivas, amorosas; o desconhecimento de suas famílias sobre seu paradeiro, dificultando a visita, o acolhimento e o amparo familiar já precarizados.

Os critérios utilizados pelas agentes e pelos agentes para a escolha das transferidas eram questionáveis: uma porque era namoradeira, outra por ser considerada problemática; ainda outra por ser respondona, e as demais por antipatias dos membros do quadro funcional. Nenhuma respondia a critérios objetivos e legais, ou a alguma necessidade de fato.

A desumanidade e o desrespeito com que foram tratadas ocasionaram choro generalizado e alvoroço tremendo no clima já tenso da Unidade. Cinco novatas chegariam no dia seguinte em substituição às levadas ainda naquela tarde no "bonde", num total de outras 25 com as que viriam ao longo da semana, provenientes das delegacias. Dessas, oito haviam sido espancadas, e as razões não nos foram socializadas. Foram, então, reconduzidas às delegacias por receio da Direção do Conjunto Penal Feminino de Salvador de que o Juízo da Vara de Execuções questionasse a gestão.

Alie-se o fato de as internas aproveitarem o conhecimento da existência de uma delatora entre elas para se vingarem da mesma. As internas haviam planejado armar uma "cocó" ou cilada, a um agente penitenciário por não ser considerado um "prezado" do bem, mas uma delas, apaixonada por ele, alertou-o do motim e de que não atravessasse as galerias naquele dia. Ademais, o afeto da interna anunciado na proteção dos seus algozes se contextualiza no fato de, para usar das palavras de Cecilia Sardenberg ao se referir ao disciplinamento dos corpos, sermos educadas "a responder a determinados estímulos sexuais e não a outros, a alimentar ou não nossos desejos eróticos por determinadas pessoas de acordo com sexo, idade, raça, classe" (2002, p. 58).

Essa delação foi repassada às internas por outras agentes penitenciárias. As internas só esperavam a oportunidade para "apanhar" a alcaguete. Essa interna, que aqui chamo de "Jackeline", foi submetida então a severa e demorada sessão de espancamento, na qual teve parte da pele de suas costas arrancada a dentadas por outra interna.

A cena de vê-la sendo levada em estado deplorável e os sangramentos me fizeram desmaiar e receber o auxílio espiritual de Rogério de Omulu com suas folhas e orações. Assim como no primeiro contato com a Diretora com a informação do falecimento de minha xará, igualmente nesse instante senti-me profundamente envergonhada e com a pretensa "neutralidade axiológica" da minha condição de pesquisadora mais uma vez comprometida.

Por isso fui orientada a escrever este capítulo. As emoções eram uma constante em mim em meu trabalho de campo. Não podia me furtar a elas nem deixar de reconhecer o quanto elas estavam influindo nesta produção. Apreendi o sentido que as feministas empregam na concepção segundo a qual a experiência vivida legitima a produção do conhecimento, especialmente em Patrícia Hill Collins. A vivência corroborou esses sentidos, eles se fizeram presentes na investigação teórica interseccional das relações no Conjunto Penal Feminino de Salvador.

6. AGORA É QUE SÃO ELAS! OUVINDO AS VOZES DAS INTERNAS

"Tem 15 anos que eu não vou a eleição votar pra ninguém... porque essas pessoas criam as lei, são votadas, chegam ao poder através de pessoas... chegam ao Congresso, ao Senado como deputado, vereador, e presidente, e chegam lá, fazem as leis para beneficiar a eles, mas o pobre, o preto, a pessoa desempregada, ou a pessoa assalariada, ou uma família de classe média, mas que tem muitas coisas pra pagar, menos pra pagar advogado, acaba ficando num sistema carcerário sem funcionamento, sem alimentação adequada, com poucos funcionários" (Lélia).

Para melhor conhecer como o entrecruzar de racismo e sexismo no âmbito prisional se expressa no cotidiano das internas, entrevistei nove mulheres dentre negras, brancas, lésbicas, jovens, idosas e candomblecistas aprisionadas, que aceitaram participar da pesquisa, procurando incluir, de forma equitativa, tanto aquelas na condição legal de processadas como de sentenciadas. As processadas, enquanto presas provisórias, teriam condições de fornecer discursos independentes dos conchavos institucionais; já as sentenciadas, por conviverem com modalidades anteriores da gestão penitenciária à vigente, poderiam fornecer relatos menos conjunturais, estruturantes para a compreensão da lógica de tratamento penal focado em gênero e raça, do Conjunto Penal Feminino de Salvador, às mulheres encarceradas.

6. AGORA É QUE SÃO ELAS! OUVINDO AS VOZES DAS INTERNAS

Procurei, assim, garantir a representatividade heterogênea da parcela de entrevistadas do universo prisional de 163 internas, diante do desfavorecimento da instituição ao meu acesso às encarceradas cujos discursos pudessem destoar das verdades produzidas pela equipe dirigente durante a pesquisa. Vale ressaltar, porém, que minha presença na instituição, durante um mês, parece ter alcançado destaque midiático, tornando as interlocutoras, inclusive as funcionárias do estabelecimento, pouco espontâneas e lineares. Todas as entrevistas realizadas ocorreram em dois dias, com média de duração de 65 minutos, salvo aquelas cujos discursos foram tolhidos pela instituição. No Quadro 2, na próxima página, estão relacionadas as internas entrevistadas, com informações sobre sua idade, orientação sexual, religião, origem, status de afetividade e situação como encarceradas.

Efetivadas em clima de tensão, desconfiança, acordos e medos de lado a lado, ou seja, tanto de internas quanto de agentes penitenciárias, as entrevistas seguiram um roteiro de perguntas abertas. Não se almejou a prontidão de determinada resposta, a fim de que a pesquisadora consolidasse uma horizontalidade de relação, confiança e respaldo metodológico, permitindo "a sujeita da pesquisa", mulher encarcerada, autonomia para falar o que desejasse.

Caracterizadas às vezes por silêncios pausados, ou por choros e risos, as entrevistas foram gradativamente reorientadas todas as vezes que se fez necessário. Algumas internas se sentiram ameaçadas pelas presenças desautorizadas de agentes penitenciários, mulheres e homens, no local reservado para as entrevistas. E a condução de cada interna pela coordenação da segurança ao procedimento de entrevista esteve acompanhada do inevitável enviesamento institucional, preocupado com repercussões político-administrativas.

Estrategicamente, as entrevistadas elogiavam os agentes quando estes surgiam no cenário das entrevistas, em seguida,

QUADRO 2: Perfil das mulheres encarceradas/entrevistadas

	IDADE	COR	ORIENTAÇÃO SEXUAL	STATUS DE AFETIVIDADE	CRIME	STATUS JURÍDICO	PERMANÊNCIA/PENA	RELIGIÃO
ANA ALICE	24 anos	branca	lésbica	namorando, s/ visita íntima, c/ visita de familiares	homicídio (art. 121 CP)	sentenciada	4 anos, condenada a 13 anos	candomblé
LÉLIA	44 anos	negra	hétero	namorando, s/ visita íntima, c/ visita de familiares	estelionato (art. 171 CP)	processada	seis meses e alguns dias	católica
JACKELINE	32 anos	parda	hétero	solteira, sem visita íntima, c/ visita de familiares	tráfico de drogas (art. 33, Lei nº 10.343/2006)	processada	10 meses	católica
DINA	33 anos	negra	hétero	solteira s/ visita íntima, com visita do filho	homicídio, tráfico de drogas (art 121, CP e 33, Lei nº 10.343/2006)	sentenciada	12 anos, condenada a 18 anos	evangélica
PRECIOSA	30 anos	negra	hétero	namorando, s/ visita íntima	homicídio (art. 121 CP)	sentenciada	1 ano e sete meses, condenada a 20 anos	candomblé
NEUSA	70 anos	negra	hétero	solteira por opção há 14 anos, c/ visita de familiares	tráfico de drogas (art. 33, Lei nº 10.343/2006)	processada	4 meses	candomblé
NÍZIA	34 anos	branca	hétero	namorando, s/ visita íntima, s/ visita de familiares	tráfico de drogas (art. 33, Lei nº 10.343/2006)	sentenciada	10 meses, condenada a 14 anos e onze meses	católica
MARIA BONITA	36 anos	negra	hétero	solteira, s/ visita íntima e s/ visita dos familiares	homicídio (art. 121), tráfico de drogas, formação de quadrilha (art. 33, Lei nº 10.343/2006)	processada	8 meses	candomblé
ELÍSIA	28 anos	parda	hétero	namorando, s/ visita íntima, s/ visita de familiares	tráfico de drogas (art. 121, CP e 33, Lei nº 10.343/2006), porte ilegal de arma de uso permitido (art. 12, Lei nº 10.826/2003)	sentenciada	1 ano e seis meses, condenada a 16 anos	ecumênica

FONTE: Trabalho de campo

voltavam a relatar os nomes dos algozes, das violências, dos acordos e dos códigos para os objetivos da entrevista. Interpeladas pelas agentes penitenciárias para sinalizarem algum dado que a instituição julgava importante, a exemplo do chamamento de crítica ao serviço social, à situação de abandono dos companheiros, à benevolência institucional ou à culpabilização tácita da interna, as entrevistadas mesclavam falas, gestos, risos, choros e representações diante da "equipe dirigente". Como se expressa na fala de Lélia, comentando sobre a situação institucional das mulheres encarceradas: "Eu acredito que essas pessoas aqui no Presídio Feminino de Salvador, da Mata Escura... eu acredito que essas pessoas fazem isso por amor, não só ao trabalho, por amor ao ser humano, à mulher, tanto os funcionários femininos quanto os masculinos".

Esse desempenho por parte de Lélia também pode ser verificado quando Ana Alice, sentenciada em plena juventude a treze anos de prisão, declara acerca do aprisionamento: "Então eu tiro de boa.[26] Pra mim eu estou num condomínio fechado tirando umas férias. Não pago água, não pago luz, não pago televisão, não pago nada, é tudo de graça".

Na medida do possível, eu chamava a atenção da instituição para a necessidade de sigilo para as entrevistas, e procurei conquistar a confidencialidade do espaço para finalmente alcançar os significados das falas das internas, na tentativa de identificar instâncias de racismo, lesbofobia, histórico de violência doméstica, represálias institucionais, espancamentos e as "representações sociais do eu",[27] cínicas e sinceras, presentes nas falas das

---

26 Superar uma dificuldade com traquilidade.
27 Ver a obra *A representação do eu na vida cotidiana*, de Erving Goffman, 2002, Editora Vozes. Na obra, o autor trata das representações dos indivíduos inseridos em cenários de dissimulação e exercício de papéis sociais. Conceitua o desempenho como sendo a atividade do ator em dada situação exercer influência em outros participantes. Na representação, quando ocorre do próprio ator não acreditar no que faz, ele é chamado de "cínico", e quando ele está convencido de seu ato é chamado de "sincero".

internas, de modo indireto pela observação sistemática para inferências apropriadas.

Vale reafirmar nas entrevistas concordância da pesquisadora, aceitação superficial de uma fala ou outra, empatias, risadas, segredos, elogios, vômitos, remédios, anotações, ruídos e confidências. Chamou a atenção a facilidade das internas em apresentar tom de desespero ou dissimulação ao abordar alguns assuntos intrigantes. "A segurança tá aqui"; "vão me botar na tranca, mas eu vou falar"; "aqui é lindo, funcionários bons, gentis e a gente aqui estressa eles"; "tá gravando?".

O contexto das entrevistas imerso na lógica institucional de cerceamento das vozes das internas, e a criação de obstáculos para o estabelecimento de uma relação informal entre as entrevistadas e eu, enquanto pesquisadora, encontra eco nas observações de Erving Goffman (1974), o qual concebe que, além de se sentir moralmente superior, a equipe dirigente, na condição de partícipe da instituição total, insere a pessoa internada num ciclo de "mortificação do eu". A vida da interna passa a ser administrada externamente e do alto, regimentada na "infantilização social", inexistindo autonomia, capacidade interativa dissociada do controle institucional, indocilização aceitável ou falas atípicas.

Sendo uma instituição total, o Conjunto Penal Feminino de Salvador é rigidamente hierárquico e os medicamentos também são recursos indispensáveis ao tratamento penal, a ponto de duas internas entrevistadas, "Maria Bonita", mencionada anteriormente, e "Lélia" estarem no nível tão crítico de medicalização, que quase não se conseguia ouvir sua voz. Mas ali havia uma satisfação decorrente da oportunidade metodológica oferecida, de distanciamento da solidão e apresentação da sua casa, das suas histórias de vida, por uma hora, ali, na cela especial. Atrás das grades, uma conhecida pesquisadora. Nas entrevistas estava a chance de poder falar dos filhos, dos pais, das paixões

6. AGORA É QUE SÃO ELAS! OUVINDO AS VOZES DAS INTERNAS

por outras mulheres e sobre suas fantasias sexuais por agentes penitenciários, à mercê do olhar afetivo da parcela heterossexual das internas.

Ao mencionar o agente penitenciário "João de Deus", afastado da instituição depois de livrado de linchamento organizado pelas internas, frustrado graças à colaboração de Jackeline, considerada "caguete", a jovem teve as costas arrancadas a dente e foi submetida a longa sessão de violência física, com objetos e armas destinados ao agente penitenciário, devido à delação dessa interna ter sido socializada pela equipe dirigente ao conjunto das internas.

> Eu acho que você pegou um pouco eu contando ali a dona Agente Penitenciária com relação a um agente que ia sofrer um atentado. É... seu João de Deus. Ele tava jurado por um grupo de presa que assim que ele entrasse no pátio que iam pegar ele, elas já tinham feito com cabo de vassoura, tipo taco de beisebol, amarrados com panos, guardados dentro das celas paralelepípedo, que ia... ele ia sofrer um espancamento, um... homicídio, né, ia ser um homicídio, porque uma pessoa jamais ia sair viva diante de tanto... pedra, pau, essas coisa, e bastante presas; ele, mesmo por ser homem, ele não ia resistir. Então eu não achei justo isso, o comentário que fizeram, infelizes da parte delas, eu comentei com a segurança. Não sei por que... que acredito assim se eu faço um comentário com você, você é uma pessoa daqui de dentro que eu tenho, tô dando a minha confiança, tô confiando a te contar... por que saiu daqui de você? (Jackeline)

Com efeito, as mulheres encarceradas, a partir dos marcadores sociais permanentes, de brancas e negras, ofereceram pontos de vistas sobre o alcance das políticas públicas para a reversão das iniquidades presentes nos cárceres, alicerçando suas vozes na condição de mulher refém do poder político do Estado, regulador das relações sociais. No caso do sistema prisional não importa se é negra ou branca, o descaso em política pública é universalizado para as encarceradas e o alcance desse fracasso institucional é aperfeiçoado pelo racismo contra os grupos de cor dentre as internadas.

> A Dilma arrumou agora esses quarenta milhões pra fazer tratamento com usuários. Ela esquece da educação, da saúde. Ela tá focada que o ser humano só tá focado na droga. Por que que o ser humano só ta focado na droga? O ser humano só tá focado na droga pela droga, porque querem demonstrar pro país que não existe crime, e todo o país, em geral do mundo inteiro, existe crime. Então a Dilma tá focada só porque em 2014 vai ter a Copa do Mundo, vai ser aqui no Brasil. Então, eu acho que isso... ela já fez parte de uma cadeia, ela sabe o sofrimento de como é conviver com um monte... (Nísia)

> Eu não sei onde é que tá o governo, a Justiça do Estado, ou talvez a presidente Dilma, que não entende que num Estado como Salvador, ou como a Bahia, a capital Salvador tem o presídio feminino, e a maior parte das presas são provisórias e não sentenciadas, e nada se é feito... eles prendem... deixam presa as processadas, elas de certa forma estressam as sentenciadas, pessoas que já estão pagando pelos seus crimes, a maioria digamos que 70% das encarceradas no presídio feminino de Salvador são usuárias de drogas que cometem roubo ou caem como traficantes por algumas gramas de maconha ou pedrinha de crack, ou balinha de cocaína, e que em um mês vem o alvará, em 10 dias elas retorna pelo mesmo delito, e não tem ninguém, não tem o Ministério Público, não tem a Secretaria de segurança, não tem o Superior Tribunal de Justiça... gente! Por que eles não veem isso? (Lélia)

No Conjunto Penal Feminino de Salvador o poder disciplinar do Estado não se manifesta exclusivamente na privação da liberdade que retirou o direito da mulher viver em sociedade, como trata Michel Foucault (2005). Essa tecnologia propriamente dita revela o disciplinamento, a docilização e a expropriação do saber sobre o corpo da encarcerada, pela segunda vez isolada da sociedade em que vive. Segunda vez porque a marginalização e a pobreza fazem parte dos espaços populares vigiados incessantemente pelos aparelhos repressivos de Estado, por conseguinte, dos corpos suspeitos das mulheres inseridas culturalmente nesses espaços.

Tal segregação no cárcere reflete um castigo a mais para a mulher encarcerada, sobretudo porque esse segmento vem de uma existência social de tradição oral, com histórias e saberes a serem compartilhados como estratégias de re(existência).

> Cada ato que nós fazemos aqui nós somos corrigidas com "tranca".[28] Cada "tranca" dessa leva a pessoa à loucura e ao desespero, porque, no momento em que a gente faz alguma coisa que elas trancam a gente dentro de uma cela, a gente fica abafada, mesmo porque a gente já passa a noite trancada, e aí ao dia a gente passa dias trancadas, como eu já tive trancas aqui de vinte dias, um mês no aperto, entendeu, sendo que eu já tive oportunidade de conhecer outro presídio, porque eu tomei um "bonde", e em outro presídio o tratamento é completamente diferente. (Elísia)

A tranca, portanto, comunga com a seletividade racial do Estado à exclusão de um perfil social de mulheres, cuja própria existência já traduz uma falta grave, merecedora de punição. O corpo subversivo das mulheres negras é segregado duplamente; primeiro, do convívio da sociedade civil; segundo, da própria prisão, "sociedade dos cativos", retratada em Sykes (1999).

Trata-se do racismo institucionalizado presente em nossa sociedade, para além das grades, consagrado pela violência dos agentes de segurança pública do Estado e disposto nos cárceres

---

28 Isolamento da interna em cela individual por mau comportamento.

pelos agentes penitenciários autorizados a isolar perfis raciais de mulheres ou as transferirem de maneira compulsória para outra sociedade, por meio dos chamados "bondes", diferente dos agentes de segurança autorizados a matar sob a justificativa do "auto de resistência", proveniente de confronto ou resistência à prisão. Nos embates com os agentes penitenciários a autorresistência das mulheres é amortecida em forma de "bonde".

Se por um aspecto temos a violência legitimada em norma, capaz de atingir a vida social de mulheres que, sem família, sem visitas, sem amparo das organizações de mulheres, terão, agora, que (re)existir em outras sociedades, com linguagens e sociabilidades distintas em meio a violências de adaptação do próprio cárcere, novas modalidades de "mortificação do eu", nova institucionalização, por outro a violência institucional prevista na concepção foucaultina (1996) a respeito do controle do corpo de quem está sobre vigilância; docilização por meio da vigilância ininterrupta dos aspectos mais particulares dos indivíduos para comportar o poder disciplinar, no Conjunto Penal Feminino se confronta com mulheres indisciplinadas e indóceis.

> Os agentes entram, alguns por pirraça, entram gritando na galeria. Aí eu fui reivindicar, eu disse, "ô rapaz, você entrou gritando, não dá pra você falar baixo?". E aí chegou uma agente novata na época, dona Rochele, e ficou me gritando pro "confere", ela ficou me gritando pro confere, porque assim que eles chegam eles dão pra ver quem fica na cama de baixo e na cama de cima, e ela me gritou, me gritou, me gritou, até que eu levantei revoltada e gritei "é o quê?!" e comecei a gritar com ela, e ela foi e me botou numa "tranca", e várias outras coisas tipo responder. Eles querem falar tipo mãe da gente. A chefe de segurança, a chefe de coordenação ela quer ser mãe, ela quer mandar, quer gritar, quer bater. *Algumas batem, nunca bateu em mim porque eu tenho advogado, mesmo não tendo na vida... ao contrário de muitas aqui eu tenho advogado, sei meus direitos, sou presa da Justiça, ninguém pode tocar a mão em mim. E se me*

bater eu desconto. Então nunca em mim, mas várias outras presas aqui como Paulinha mesmo, Ana Paula já apanhou já aqui, uma outra que foi embora, Antonia Garcia apanhou que eu vi, entendeu, então elas querem mandar na gente (grifo meu). (Elísia)

Mesmo não estando na vida, portanto, situada na morte, diante da tecnologia de poder chamada racismo, a mulher privada de liberdade consegue resistir, pois, de acordo com Foucault, onde há poder há também resistência. Contudo, nem todas as mulheres resistem às tecnologias de poder das prisões. A sra. Antonia Garcia, encarcerada por homicídio, era a mais repudiada pela segurança – matou o próprio marido violento; na fala de Elísia ela aparece como sendo vítima preferencial da violência física por parte da equipe dirigente, visto que, segundo uma das agentes penitenciárias,

Pra nossa surpresa no meio do caminho ela foi *o-va-cio-na-da* pelas internas. Ela foi *aplaudida* e *car-re-ga-da* pelas internas, não só porque matou o marido, mas matou um *policial mi-li-tar*, que para a criminalidade isso é um *troféu*. Ela entrou, passou pouco mais de dez dias presa e quando saiu ela foi novamente *ovacionada* pelas internas. É uma inversão: o que é bom para a polícia é ruim para o bandido; o que é bom para o bandido, é bom para o indivíduo, entende? (Agente Penitenciária)

Ouvindo a voz da instituição é possível situar o racismo abordado por Silvério (2001) e por Sampaio (2003) como fundante e estruturador das práticas imateriais do funcionamento administrativo do Conjunto Penal Feminino de Salvador, na medida em que na instituição há um fracasso coletivo de atendimento adequado à população majoritariamente negra, manifesto em violências raciais invisibilizadas, sutis e pouco debatido no desenho das políticas públicas carcerárias. Racismo que enxerga suas vítimas para o encarceramento, mas nem sempre permite ser enxergado por suas vítimas no cumprimento da pena.

Quando chegam à delegacia as negras são encarceradas imediatamente e as brancas passam pelas autoridades pra conversar, saber o que foi que fez e muitas vezes são liberadas dali, tá certo, por motivos que eu prefiro não mencionar. Ela detria (sic) as negras, as pobres, as humildes. De um modo geral ela fazia isso. Por mais que tivesse estudo, não importava. Podia ter estudo, podia ter educação, podia ter disciplina, podia ter respeito, *mas se fosse negra não chegava nem perto do gabinete da diretora* (Agente Penitenciário).

Contudo, o racismo institucional, sendo do Estado em sentido ampliado, é a ideologia civilizatória da sociedade política brasileira manifesta em normas, condutas e procedimentos dos indivíduos em nome das instituições para a manutenção da segregação racial da população negra. O conceito coloca como hipótese uma possível desatenção dos servidores públicos na forma de atendimento, na inclusão de parcelas populacionais estereotipadas ao acesso a bens e serviços das políticas públicas. Mas quem deseja o serviço de prisão? A privação de liberdade é um bem?

6.1 "Viados", "Lêndeas" e Velhas – "Confere" aí a Interseccionalidade

Primeiramente, antes de mais nada, você dá pra perceber que eu sou homossexual. Então eu também já sofri muitas consequências, muito preconceito, muita discriminação, às vezes piadinhas eu ouço. (Ana Alice)

A interseccionalidade cruza o Conjunto Penal Feminino de Salvador no "confere", institucional, apresentando as resistências identitárias das mulheres encarceradas. Expressa-se em conflitos depositados na forçada sociabilidade com negras, lésbicas, brancas, candomblecistas e idosas.

Na cadeia, os ditames do racismo, sexismo, lesbofobia, adultismo, preconceitos de classe e a intolerância religiosa se libertam dos olhares contra-hegemônicos, ofertados pelo feminismo, e ali mesmo, entre as internas, mostram seus preconceitos. Essas formas de saberes presentes no cotidiano das encarceradas diferem das discriminações e desempenhos institucionais, embora na condição de privadas de liberdade as internas acreditem erroneamente terem o "poder" de impedir o exercício dos marcadores sociais.

> Senta com as perna aberta e chupando boca com boca. De tarde a que mora com ela não pode entrar na cela, porque elas entra pra cela se chupando, vai fazer amor. Eu achava é que as *prezada* devia era separar essas mulheres que gosta de roçar, tem que botar em outra cela, não deixar na mesma cela que elas, é uma falta de vergonha. É uma falta de vergonha! Eu mesmo... teve uma vez que eu queria me mudar porque teve uma vez que, desculpa as expressões, fala demais. E eu não gosto destas coisas, eu não gosto. Eu não tenho marido, tô velha, mas eu acho que respeito é muito bom. Tem que respeitar quem tá deitado no chão. (Neuza)

Todavia, a repulsa da mulher idosa à homossexualidade da mulher encarcerada, como se a orientação sexual fosse um mero estilo de vida dessas internas, bem como o verificado repúdio político ao amor homossexual, não corresponde à necessária repulsa ao desafeto institucional contra a sua condição legal de idosa, a qual, apesar de prever tratamento penal[29]

---

29 De acordo com a Lei de Execução Penal, no Art. 82, os estabelecimentos penais destinam-se ao condenado, ao submetido à medida de segurança, ao preso provisório e ao egresso. No § 1º A mulher e o maior de 60 anos, separadamente, serão recolhidos a estabelecimento próprio e adequado à sua condição pessoal.

distinto, no entanto, está relegada ao chão. Resvala oposta a coerente visão de Adrienne Rich (2010, p. 23), ao avaliar que na "heterossexualidade como inclinação emocional e sexual natural para as mulheres, vidas [lésbicas] como essas seriam consideradas desviantes, patológicas e descompensadas em termos emocionais e sensuais".

Em acréscimo, as diferenças entre as mulheres seriam coexistências mais que o corpo. O sexo biológico, pois, coloca as mulheres infratoras das leis em condição de igualdade no sistema prisional feminino. No entanto, "o sentido de mulher capaz de ilustrar o mapa de semelhanças e diferenças que se cruzam. Nesse mapa o corpo não desaparece; ele se torna uma variável historicamente específica". (NICHOLSON, 2000, p. 28)

A esse respeito, Alda Motta (1999) oferece importante contribuição em direção ao contexto prisional para a mulher idosa. Bem verdade a crítica da autora de que as análises sociais sobre corpo têm a mulher como destinatária a partir de dimensões biossociais como idade, sexo e cor, porém escapa que nos contextos interativos entre mulheres tais dimensões sociais estão inscritas no corpo, culturalizado, no qual a geração se articula e conflita ao lado da orientação sexual porque tem seu lugar na vida social, possui sua história.

Já na abordagem sobre gênero, a classe é igualmente fundante para análise da realidade econômica de mulheres como "Neuza", relegada sete vezes à prisão, inclusive pelo crime de tráfico de drogas, até chegar ao tempo de velhice, atenuante a sua condição de gênero, dada a geração possuir dinamismo demarcador social e modelar a subjetividade da mulher.

De posse ainda da visão de Alda Motta (1999), vale ponderar sobre o olhar preconceituoso da sociedade sob o corpo da mulher velha e para perspectivas de atuações sociais esperadas. Assim, a condição de idosa faz com que elas sejam alijadas prematuramente do mercado de trabalho.

6. AGORA É QUE SÃO ELAS! OUVINDO AS VOZES DAS INTERNAS

Se considerarmos parâmetros racistas da sociedade, o peso social se acentua por ser ainda mulher negra. Tão somente definida como doente, incapaz, desobrigada ao exercício da cidadania por meio do voto, empobrecida tanto pela pauperização destinada a mulheres como pela miserabilidade da população negra; baixa ou nenhuma seguridade social; segregação da família, findando um itinerário de exclusão social na qual a raça anula a possibilidade de convivência pacífica da mulher idosa com o conjunto da sociedade, restando apenas a busca de estratégias ilícitas de sobrevivência: "Eu faço é pra sobreviver, mas agora eu não quero isso pra sobreviver, viu, não quero não. Não quero mais grade, eu não *guento*, tô com esse problema em minha perna". (Neuza)

Além do marcador de gênero, as encarceradas autonomamente assumiram as diferenças e expectativas sociais, seus diversos modos de pensar o corpo, daí a necessidade, segundo Nicholson (2000), de se entender as variações sociais na distinção masculino/feminino, ligadas não só ao gênero, mas também às formas culturalmente variadas de se entender o corpo, já que o corpo é uma variável de sentido e importância conhecidas, é um artefato diferente, logo dessemelhante em contextos históricos como as prisões.

> Hoje de manhã o marido dela... diz que é marido, né, que o marido dela não dormiu porque a cadeia acordou. Eu não tô vendo nenhum homem aqui! Eu tô vendo aí mulher igual a mim. Eu que sou uma pessoa que me respeito procuro meu lugar certo. Eu tô vestida com minha farda e com minha blusinha. Não ando de cueca nem de sutiã, mas têm muitas que anda lá e ela não quer, e fica xingando as pessoas daquele nome. Quer mandar, quer mandar lá na galeria. Eu não conheço isso, porque eu já tirei aqui sete com essa, eu nunca vi a cadeia como tá agora. (Neuza)

As vidas e os corpos encarcerados caminham em direção ao pensamento da feminista Angela Davis (2003), intelectual famosa pelo ativismo antirracista nos EUA e pela experiência no cárcere do ponto de vista racial, de gênero, lésbico e militante. A partir dessa autora podemos ratificar que a violência do racismo e do sexismo contra a mulher nas quatro paredes do estabelecimento penal tem uma natureza inimputável, uma vez que os homens, "piolhos", como são denominadas as mulheres masculinizadas na linguagem da prisão, já estão encarcerados, em tempo, já estão prestando serviço à comunidade sob a forma de punição por meio da privação de liberdade.

Apesar disso, a dinamicidade e a contradição da prisão farão a mesma lésbica alvejada pela mulher idosa assumir uma postura discriminatória, violenta e hierárquica contra as *lêndeas* ou *laydes* – mulheres lésbicas ou não, cujo comportamento sexual e corporeidade lembram o imaginário estereotipado do feminino, com padronizações de passividade, doçura e fragilidade opostas à conduta viril dos chamados *piolhos* ou *viados* – lésbicas de arquétipo hegemônico e nome social masculinos. Indivíduos enxergados como mulheres, por conta do sexo, porém com a imagem de si de homens em decorrência do gênero, parte dominadora da relação afetiva e da vida doméstica nas quatro paredes das celas.

As *lêndeas* ou *laydes* são, para essas mulheres, vítimas frágeis, as quais o encarceramento institucional impede de acessar a aplicabilidade da Lei Maria da Penha, mesmo se as condutas afetivas desses *piolhos* dispensarem violências tão repudiáveis como as conhecidas na "sociedade normal".

> É briga. É confusão. É problema. Tanto que ninguém toca. Já há o respeito "ói, ó sua mulher ali, viu", então ninguém toca, porque desde quando a pessoa fica com a pessoa a pessoa já se assume. Justamente pra não ter problema de outra pessoa dar em cima, então já se assume. Tipo assim, eu tenho minha mulher, já saio no pátio e digo "aqui é minha mulher". (Ana Alice)

6. AGORA É QUE SÃO ELAS! OUVINDO AS VOZES DAS INTERNAS

Segundo Gayle Rubin (1993, p. 198), para entender de forma crítica as subordinações, considere-se que "as mulheres são os objetos da transação, portanto, são os homens então que, ao dá-las e recebê-las, estão ligados entre si, tornando-se a mulher um condutor da relação ao invés de um parceiro nela". A troca das *laydes* ou *lêndeas* realizada pelos *piolhos* ou *viados* não implica que as primeiras estejam reificadas, porque os objetos no mundo primitivo estão imbuídos de qualidades altamente pessoais. Implica, entretanto, a distinção entre o presente e o ofertante. Se as *lêndeas* são os presentes, então são os *piolhos* ou *viados*, os parceiros e proprietários da troca.

Com efeito, a envergadura analítica da interseccionalidade no sistema penitenciário se deve ao fato de a estrutura prisional ser o domicílio do sexismo, da lesbofobia e do racismo, com a diferença das atuações ideológicas trancafiadas no mundo prisional serem semelhantes ou superiores às opressões e disciplinamentos impostos às mulheres do lado de fora dos muros prisionais. Por essa razão pertinente, Angela Davis (2003) oferece aportes epistemológicos sobre a interseccionalidade no âmbito prisional, relembrando ao feminismo clássico o prejuízo de perceber a mulher encarcerada numa abordagem universal.

A interseccionalidade não almeja ser uma ferramenta teórica e política capaz de mostrar as mulheres encarceradas como as mais vitimadas pelas opressões, menos ainda acreditar que a mulher negra é a eternamente mais oprimida. Cabe à interseccionalidade oferecer uma leitura da existência social da encarcerada quando sua identidade social é cruzada, ao mesmo tempo, por marcadores sociais diversos.

A abordagem da interseccionalidade na análise sobre as encarceradas nos permite ler a classe enquanto categoria de análise para compreensão do capitalismo, aprimorando explorações entre as internas, e inclusive revela que a branquitude, enquanto capital simbólico capaz de favorecer o ganho de outros capitais sociais, na

Ó PA Í, PREZADA!

prisão se desfaz de seu poder para a minoria de mulheres brancas, cuja aparência, cabelos socialmente considerados belos e escolaridade avançada são valorizados pela instituição, porém inutilizados nas relações monetárias com a maioria negra de internas.

É tudo assim, um pacotinho de biscoito é um e cinquenta, quando na rua você compra três, então é muito absurdo, e o pessoal é muito ganancioso, muito ambicioso, e o ser humano aqui dentro não percebe que tá no sofrimento, dentro de uma prisão, e quer ganhar dinheiro dentro de uma prisão. Um chocolatinho, um *Batom* é um real, um *Bubbaloo* é um real, um pirulito é um real, então a vida pra o ser humano aqui dentro é caro demais, é muito caro, é um absurdo, entendeu? Pra você poder fazer qualquer coisa tudo é pagado, pra você comprar quatro, cinco minutos no orelhão você paga dois reais. (Nísia)

Já a mesma idosa de atitude lesbofóbica, adepta de uma heterossexualidade obrigatória para as mulheres encarceradas, jus a sua identidade religiosa de matriz africana, experimentará o preconceito e o ódio religioso das internas cristãs, numa contradição alimentada pela doutrina não laica do Conjunto Penal Feminino de Salvador à ideia de "penitência" para correção moral das mulheres infratoras das normatividades, pregadas e difundidas na perspectiva neopentencostal.

Quando chega na galeria e aquela que é cristã fica tocando aquele negócio, falando aquelas coisas, aí falando que "é o diabo que lá vem passando", e fala bem alto que é pra eu poder ouvir. Aquilo me choca, aquilo me deixa doente, porque eu mesma não vou me dedicar a ficar no portão xingando, falando de crença delas e ficar com minha conta, que eu tenho uma conta de Exu também que eu uso. Não vou ficar com minha conta fazendo pedido porque se eu pegar aquela conta pra fazer pedido com fé eu vejo, que eu já vi lá fora. Então aí dentro eu sou muito pisada, porque daqui de dentro só é eu mesmo. (Neuza)

6. AGORA É QUE SÃO ELAS! OUVINDO AS VOZES DAS INTERNAS

Como marcador social, a identidade religiosa privilegia algumas matrizes em detrimento da forma individual de cada culto à espiritualidade, porque

> A verdade é que todos sabem e sentem a presença da religiosidade dentro de si. E aquele que se diz profundamente materialista, sem ter realmente a menor ideia de Deus, que julga ser ele uma criação na mente humana, ainda não entrou por algum motivo em contato com a própria religiosidade. (OLIVEIRA, 1978, p. 202)

A conquista institucional do direito ao sarcedócio candomblecista prestar assistência religiosa às internas, conforme previsto na já citada Lei de Execução Penal, provoca embates, conflitos ideológicos e favorece o desempenho do racismo. Um exitoso expediente institucional, mais enfático que os preconceitos e os abusos religiosos das internas. Como denuncia o sacerdote Baba de Omolu, chamado pelos orixás, forças espirituais da natureza, a ajudar espiritualmente as pessoas encarceradas, pelo fato de o crime ser acessado por e em todas as religiões, a citar a pedofilia, por exemplo, presente em certas religiões populares.

> No início é algo novo, algo pioneiro que nunca existiu, então as pessoas... entende, foi um pouco difícil de aceitar, principalmente a religião evangélica, porque eles têm o Candomblé, a gente, como o demônio, então eles acham que nós somos demônios, somos diabos, e o que eles fazem junto com os internos é dizer que é um demônio Obaluaê, que é um demônio Ogum, Oxum, Oxossi, e que fez com que ele roubasse, ele matasse, ele destruísse. Então eu cheguei lá pra quebrar isso, para chegar lá e dizer a eles que os nossos Orixás não fazem esse tipo de coisa, porque o Orixá, ele é o caminho, ele é elemento da natureza, ele vem pra salvar o ser humano, pra dar paz de espírito, pra dar tranquilidade, a paz de espírito, a paz de comer a comida mais gostosa, de beber a água mais fresca, entendeu, a paz de sentir o mais fácil. (Baba de Omolu)

Ampliando o entendimento sobre a conduta da interseccionalidade no mundo prisional, à luz dos estudos na área penalógica, aponta Angela Davis (2003) haver na própria terminologia "penitenciário" muito mais que o pertencimento cristão idealizado sob a forma de penitência, tal qual sabemos, mas também o conteúdo ideológico originalmente proveniente do contexto inglês, de 1758, em alusão a "prostitutas arrependidas".

Desse modo, concordo com a referida autora sobre o sistema penitenciário para mulheres ser repudiável desde seu nascimento e num nível visceral indissociável do racismo e do sexismo. Findando na sociedade essas tecnologias de opressão próprias do capitalismo, abolimos por extensão as instituições prisionais, pois inexiste instituição prisional sem essas ideologias preconceituosas, discriminatórias e essencializantes na cosmovisão africana:

> Então o Candomblé não observa se você faz sexo com a mão ou faz sexo com outra mulher, ou com outro homem, pelo suvaco, pelo ouvido, isso é um problema seu, o jeito que você faz sexo. Respeitando as leis dos homens, não temos nada contra a sexualidade de ninguém, porque acreditamos na força da natureza, e a natureza não tem sexo. Então não vemos dificuldade, não temos intolerância nenhuma em relação ao homossexual. (Baba Rogério de Omolu)

Para a mulher, do ponto de vista subjetivo, o lugar da vigilância, da punição e do suplício das mulheres, expressados pelo cárcere, tem no "sexo culturalizado" a manifestação da vontade patriarcal, heterossexista e racista do Estado. Do ponto de vista marxista, diríamos residir ideologicamente na prisão a população cuja tomada de consciência não é compartilhada pelo conjunto da sociedade. A organização comunitária das intelectuais orgânicas da prisão gera pouco manifesto, afinal, todo "catatau" precisa ser lido pela equipe dirigente. A mais-valia da encarcerada é o próprio trabalho não remunerado, é o lucro ideológico do Estado segregador da parcela inapta social, persistentemente errante, excluída da riqueza socialmente produzida, graças à providência da condição prisional.

Esse segmento de mulheres, excluído da sociedade, acelera o compromisso estatal de regulação do mercado por via das empresas privadas instaladas na prisão, a exemplo das terceirizadas para fornecimento de alimentação das internas, empresas de contratação provisória de agentes penitenciários – reorientado capitalismo para oxigenação do exército industrial de reserva, trabalho doméstico gratuito e reaproveitamento racial das mulheres negras, elas até então "ninguém" nos espaços penosos onde o Estado relegou. É o "complexo industrial de prisão", como define Angela Davis (2003).

Segundo essa autora, "as prisões tornaram-se buracos negros onde são depositados os detritos do capitalismo contemporâneo. O encarceramento em massa gera lucros, enquanto devora a propriedade pública, e assim tende a reproduzir exatamente as condições que levam as pessoas para a prisão" (DAVIS, 2003, p. 26). "A única coisa que eu reparo bem aqui é que... como as meninas falam... *sacola*. Quem tem visita, tem *sacola*, tem assim, moral na cadeia. Quem não tem não é ninguém" (Preciosa).

Se tomarmos a raça e o gênero como marcadores analíticos das políticas públicas prisionais do ponto de vista conceitual de Erving Goffman (2002) sobre desempenho e embaraços – apesar de nutrirmos a crença na abolição das prisões como alternativa sincera dispensada pelo feminismo –, a reversão da vulnerabilidade feminina à implementação de iniciativas focadas em raça e gênero se aplica, embora antes da privação de liberdade esse público não apareça como alvo da letalidade entre os gêneros e sim no aspecto racial do feminicídio, fenômeno em ascensão na realidade brasileira, circunstanciado não só pelos assassinatos de mulheres como pelo mau atendimento do Estado, que empurra as mulheres para a morte.

> Pra falar a verdade eu... assim... essa semana mesmo, como eu passei mal, eu tava com sangramento, me "passaram"[30] porque elas já sabem que eu tenho mioma e tal, e sempre elas dão um jeito de me "passar". Mas de noite, eu não sei, às vezes, acho que eles não ouvem, não sei... não sei o que é que acontece. Eu tenho medo de uma hora aconteça sair um cadáver daí de dentro, que a gente tá trancada, não pode fazer nada por uma às outras, aí assim... eu achava, pelo menos é o que eu penso, e o que eu penso eu falo, pelo menos tivesse uma buzina por caso de uma emergência. (Preciosa)

As mulheres não assassinadas recebem transferências coloniais de opressões e subalternizações do Estado para o mundo prisional. Saem das prisões dos pais, dos filhos, do padre, da pobreza, do "caçador de viúvas"[31] e vão para os cárceres. Havendo de considerar, contudo, em termos de inofensidade, vitimismo e conduta social secundarizada no mundo do crime, o gênero. Como a categoria mulher não consegue responder a toda essa dinamicidade social, essas "mulheres do século XXI" enquadram seus delitos dissociados do sexo passivo ou agressivo, não devendo suas condutas serem atribuídas ao fato de serem homens ou mulheres, mas pessoas humanas.

Não são a geração, a raça e a classe isoladamente elementos constitutivos autorizados a reverter motivações criminológicas em sociedade. Nas condutas das mulheres, os cometimentos dos crimes são iguais aos dos homens; na predileção legal do

---

30 Saída da cela para repartições institucionais.
31 Na obra *La cárcel y el carcelero de La mujer colonial* (2007), Pablo Lacoste identifica quatro possíveis carcereiros: o pai, o marido, o clérigo e o caçador de viúvas. Também se definem os cárceres em que se confinam a mulher: a casa, a prisão material, o purgatório e a pobreza. Esses cárceres e os carcereiros formam um sistema, com seus próprios códigos e normas de funcionamento.

6. AGORA É QUE SÃO ELAS! OUVINDO AS VOZES DAS INTERNAS

sentenciamento é que algumas mulheres serão mais punidas; as inocentadas se utilizarão, deveras, da raça, da classe e da geração para sair impunes, ao menos temporariamente.

Sendo lésbicas de arquétipo viril, por exemplo, seus crimes ficarão cobertos pela visão do machista, vitimado pela solução compulsória à lesbianidade por via da correção presunçosa do seu pênis. Assim, para o cometimento de crimes, as mulheres lésbicas passam a disfarçar suas intenções criminosas a partir da noção de corpo biologizado:

> Ele estava sóbrio, não tinha tomado um gole de álcool. Chamei ele pra beber *como se estivesse dando em cima dele*, ou seja, chamei ele pra "cocó", levei ele pra casa que eu tinha alugado só pra matar ele. Tava tudo planejado. Demos 27 facadas. Na verdade quem mais deu foi eu e minha parceira. O cara na verdade não entrava em nada; o cara só teve que dirigir o carro. Quem matou ele mesmo foi eu e minha parceira, pra dizer a verdade, e meu motivo foi vingança. Depois de executado, de esfaqueado, lavei o corpo dele todo pra tirar as digitais, lavei o carro dele todo por dentro e por fora onde eu toquei, colocamos ele no porta-malas em dois edredons bastante grosso, colocamos ele no porta-malas do carro – eu tô só resumindo a história, não contei tudo, entende? (Ana Alice)

Igualmente à lésbica, a mulher idosa se aproveita da noção de infantilização e santidade presente nas representações sociais da velhice feminina e delínque sem qualquer participação masculina. As mulheres velhas assumem seus atos de forma autônoma: "Fiz tudo sozinha. Quando eu venho é sozinha. Às vezes eles pega assim os cara, deix'eu ver... teve um tempo aí, em 1985, eu tomei uma cadeia aqui com um marido, mas tomei essa cadeia aí por causa dele, não foi eu" (Neuza).

Podemos citar *Dina*, encarcerada desde 19 anos de idade por homicídio, mãe do adolescente Joaquim Barbosa, condenada a dezoito anos de prisão em regime fechado, tendo já cumprido doze anos e ter-lhe sido negada a progressão de regime. Assume seus crimes, mas acredita que o estigma [32] colocado pela falta de ressocialização agrava a penalização da mulher reincidente. Consequentemente, fere os ditames da Lei de Drogas no que tange ao uso indevido, atenção e reinserção social de usuário e dependentes de drogas,[33] por exemplo, ao serem manuseados por magistrados apressados mais na punição que na prevenção relativamente à vulnerabilização em saúde:

> Meu crime é 121, não respondo tráfico, passei a responder tráfico aqui, mas não respondo tráfico, não sou traficante, não faço parte de facção, entendeu, mas elas dizem que eu sou traficante, colocou eu pelo 33, só que a droga que eu trouxe foi pra meu uso, pra minha dependência própria, não foi pra venda. (Dina)

Igualmente aos (pré)conceitos dos expedientes institucionais, o imaginário patriarcal desapercebe a existência de relações sociais emanadas de contextos afetivos em que os companheiros homens foram detidos exatamente por associação a jovens mulheres criminosas:

> Olhe, algumas mulheres preferem botar a culpa nos maridos: "ah, eu vim presa por causa dele". Eu poderia te dizer aqui que eu tô presa por causa de meu marido. Não, não foi por causa dele, porque justamente no dia em que ele foi preso tinha droga em outra casa que era de aluguel e a gente morava em uma casa, e eu que insisti, e ele: "não, rapaz, deixe pra pegar amanhã", e eu insisti no dia, fui e peguei a droga. A arma era

---

[32] Utilizamos o conceito de estigma tal qual sua apreensão do senso comum, ligado às marcas negativas presentes na identidade social e no imaginário coercitivo em apologia à modernidade e suas marcas provenientes das penas, não mais no corpo do ponto de vista legal do século XVIII, mas civilizadamente impressas pelos antecedentes criminais.

[33] Título II da Lei nº 11.343, de 23 de agosto de 2006.

minha mesmo, já de minha proteção, e fui e peguei a droga, vendi duzentas gramas, deixei oitocentas gramas quando a polícia prendeu a gente mais tarde, que fez uma operação no bairro pra achar minha casa, que eu não quis levar. Fui muito espancada, mas eu não levei. (Elísia)

Como lócus das intersecções, encontramos no Conjunto Penal Feminino de Salvador mulheres cujas histórias de vida desmentem a falsa promessa de ressocialização, uma vez que o estigma marca a vida da mulher, negra, obesa, pobre e agora marcada pelos antecedentes criminais.

A naturalizada inserção da mulher negra no contexto de vulnerabilidade social, iminente reincidência de conduta delituosa dada pela culpabilidade tácita, própria das assimilações lombrosianas, desconsidera a trajetória de violência engendrada na vida de mulheres sentenciadas pelo determinismo penal, suposta criminalidade nata. Como se percebe na fala de Preciosa: "Em 2008 eu fui presa por tráfico. Eu estava traficando realmente, entendeu, a Justiça fez o papel deles, mas dessa vez eu posso dizer que eu sou inocente" (Preciosa).

A jurisprudência, quando alheia à criminologia feminista, procura colocar o direito penalógico como resposta a todas as mazelas sociais. Sentencia mulheres preciosas, visto que "o juiz tem uma margem de discricionariedade, o que leva a verificar que a justiça não se atém somente aos fatos e às provas contidas nos autos, mas a visão de mundo do magistrado tem influência no desfecho do processo" (SANTOS, 2012, p. 38). Estabelece suas intersecções cartesianas sem nenhum tipo de socorro político minimalista, visto também nos movimentos neoidealistas pouco haver investimentos políticos em direção a mulheres, sobretudo negras egressas do cárcere.

Ora, a perspectiva política das mulheres contra a ideologia patriarcal sucumbe em direção à opressão contra a mulher, alastrada no contexto de aprisionamento, ao invés de defender o alcance dos instrumentos legais protetivos a perfis de mulheres estigmatizadas pós-cárcere. Por isso, rompermos com o discurso estrito a um perfil de mulher em dia com a lei, mas vítima de violência universal, merecedora de atendimento e reparação legal, é reconhecer a presença da violência em todos os cenários femininos, a citar mais uma vez a prisão.

Enxergar as encarceradas como vítimas de violências contra a mulher, protagonizada por mulheres, nas celas enquanto ambiente doméstico, e dos agentes penitenciários, homens e mulheres, é passo político importante para o feminismo e para o enfrentamento do sexismo e do racismo institucionais, visto as encarceradas ingressarem na prisão sentenciadas pelo insuficiente parecer do direito penal, e não somente pela demora da ruptura de vínculos com homens de masculinidades violentas.

Há mulheres privadas de liberdade meramente punidas pela manutenção de ciclos de violência. Nas prerrogativas raciais dos processos penais, seus antecedentes criminais já fragilizam largamente a credibilidade para denúncias de violências doméstica, psicológica, patrimonial e de danos morais perpetradas por companheiros e filhos. Em especial, as mulheres negras dentro do cárcere são personagens antes problematizadas nas teorizações do feminismo negro como público que deve cada vez mais criar condições psicológicas para denunciar homens violentos, mesmo que fiquem sem nada, pois o racismo condicionou as negras a uma subjetividade capaz de aceitar pouco e ainda se culpar pela opressão experimentada (WHITE, 2000). Em contribuição, urge também compreendermos que "as mulheres negras têm umbigos diferentes também e que seus cordões foram cortados em contextos diferentes. Dessa forma, o posicionamento que vão assumir em suas relações na esfera social é múltiplo" (SILVA, 2005, p. 13).

É o excesso de pena para nenhuma culpa ou legítima defesa de mulheres que já acumulavam marcadores identitários desvalorizados socialmente virem do contexto de violência doméstica, pobreza e racismo, inseridos nas modalidades de violências institucionais como continuação das cicatrizes deixadas por seus algozes da vida privada. Mulheres cujos homens estão dispostos a sair impunes das relações sociais demarcadas no âmbito privado, contrariando todo o esforço político eleito nas pautas de reivindicações feministas.

> Eu tinha terminado de fazer a unha dele e tal, porque ele ia viajar pra visitar a mãe dele, não queria que eu fosse. Devido a isso aí, dessa discussão vai e vem, ele pegou, puxou minhas roupas, minha gaveta pra queimar. Aí eu disse: "e você vai queimar minha roupa pra eu não ir atrás de você?". Ele: "ah, eu vou!". Naquela agonia. Aí ele pegou a acetona. Então ele pegou, aí eu disse: "você vai me queimar, é?". Aí ele fez: "e se eu queimar, tem o...". Eu disse: "você não vai me queimar porque você me ama". Aí ele jogou acetona. Eu não vi que ele tava com o isqueiro na mão. Foi uma coisa muito rápida, muito imediata. Quando eu vi eu já tava em chamas. E sendo que depois disso ele demorou ainda pra me dar socorro pra apagar o fogo de cima de mim, com medo que eu denunciasse ele. Aí eu em chamas ajoelhada aos pés dele pedindo que ele apagasse o fogo que eu não ia denunciar. "Você jura? Você jura por quem?" (Preciosa)

A violência experimentada por Preciosa, ainda hoje com marcas em seu corpo, é um fenômeno que não discrimina os lares, independentemente de classe, raça, geração, ocupação, dentre outros marcadores sociais; entretanto, as feministas negras tomam nas evidências comunitárias o chamamento de que, para mulheres negras, urgem novas condições subjetivas de ruptura afetiva com companheiros violentos. São homens violentos essencialmente não por serem negros, mas afetados pelo aprendizado escravocrata do homem branco, segundo bell hooks (2000), no qual uma prejudicada afetividade histórica entre homens negros e mulheres negras impede a vivência do amor.

Em adição, a pesquisadora Silvia de Aquino (2006) considera no fenômeno universal de violência contra a mulher a urgência de medidas criativas nas políticas públicas de enfrentamento do grave problema protagonizado pelos homens, verificando nas assimetrias de gênero premissas universais das violências contras as mulheres.

E a renitência histórica, mesmo que reconhecidas as diversidades culturais, com que esse fenômeno é vivenciado por mulheres de todo o mundo, indica que se as relações de gênero podem ser consideradas pressupostos das violências contra mulheres, e que estas violências ainda são assumidas, socialmente, como formas legítimas de mediação de relações entre homens e mulheres. Essa é a leitura que se impõe quando se observa que, de acordo com dados divulgados pela ONU, até 2005, 129 países adotaram medidas de combate à violência contra mulheres e meninas, mas faltam informações sobre o alcance do problema e para saber se as medidas adotadas são eficazes. (AQUINO, 2006, p. 16)

Cruzados os contextos interseccionais, podemos chegar à conclusiva avaliação de que todas essas nuances de identidades sociais trancafiadas geram o fracasso institucional do Conjunto Penal Feminino de Salvador para a ressocialização da mulher encarcerada. Impedem o combate ao racismo e ao sexismo institucionais, haja vista as violências de Estado e sociedade estarem em demorado processo de execução penal, evidenciando a prisão como um espaço interessante para o exercício das tecnologias de poder colocadas, principalmente, pelo gênero e pela raça.

No sistema penitenciário feminino a mulher, com seu micropoder, transfere a opressão recebida para outra por sua vez explorada. Agora, esta subordina adiante e, todas juntas, são discriminadas pela instituição, por serem majoritariamente negras, usuárias de drogas, reclusas como se traficantes fossem, levando a saúde pública para o lugar de pena e discriminação.

> Eu acredito que essas pessoas drogadas que estão aqui... não é o lugar delas, porque quem é pega aqui com cinco pedras de crack pra o uso vem pro presídio como se fosse um traficante pra ser atendido por um defensor público que poderia tá defendendo até uma pessoa que realmente tivesse cometendo um crime, porque um usuário de droga... não é um criminoso, *mas eu discrimino* que é uma coisa que me incomoda, incomoda minha saúde, porque essas pessoas chegam no presídio com debilidades, com HIV, com doenças que eu o tempo todo me resguardei pra não contrair, e hoje eu aqui no presídio corro risco de contrair essas doenças, né, isso... (grifo meu) (Lélia).

6.2 Racismo e sexismo institucionais – Doenças sociais do Conjunto Penal Feminino de Salvador

> Quando eu vim presa aqui, teve um agente prisional que falou, "você vai sofrer". Eu falei, "eu?! vou sofrer por quê?". "Por causa da sua cor." Aí eu falei: "não, eu sou uma pessoa que me dou super bem com as meninas". Mas ele falou, "não, to falando daí de dentro, tô falando daqui". Eu, "ah, bom, tá bom!" (Nízia).

Em diálogo com Santos (2012), se ratifica a viabilidade política de repensarmos a força epistemológica do conteúdo conceitual do racismo institucionalizado como prática discriminatória de servidores públicos ou prestadores de serviços coletivos contra a população negra. Ideologia por vezes dissimulada no âmago das instituições penais em forma de gestos inocentes, característicos de relações domesticalizadas, descaso dos servidores em relação aos usuários, cuja gravidade do serviço prestado não pode ficar refém da boa vontade institucional em repensar seus expedientes raciais ou, quiçá, de gênero.

Na ruptura com a visão inocente do papel político do Estado, a interseccionalidade, ferramenta teórico-prática capaz de capturar o racismo institucional enquanto ideologia estruturante tal como é o capitalismo, apresenta como tarefa metodológica a igualdade substancial da terminologia racismo institucional com a nomenclatura sexismo institucional, comumente colocadas nas produções acadêmicas e programas de governos em patamares de importância política distinta, nas quais o segundo termo é complemento nominal do primeiro.

O sexismo institucional é dinâmico e ambivalente. Reúne um conjunto de estereótipos de ressignificação social das diferenças biológicas, das quais o desempenho hostil, diferente do benévolo, dispõe preconceitos explícitos em relação às mulheres, revelando como o marcador de gênero disputa e impõem recomendações ideológicas em prol da heterossexualidade, comportamento passivo, essencialismos e descaso frente às demandas sociais das mulheres (FORMIGA, 2011).

Entretanto, no sexismo e no racismo das instituições é a mulher negra[34] o público mais alcançado pelas violências trazidas no bojo desses conteúdos. Cruzadas simultaneamente, essas tecnologias nas instituições penais oferecem prejuízo de cobertura das políticas públicas para as usuárias, por se tratarem, antes de serem sociais, políticas penais, imersas na institucionalização das matrizes de opressão de qualquer sociedade.

Se a população negra e as mulheres são grupos humanos para os quais o Estado tem procurado regular a assimetria social conquistada historicamente, a ponto de no catálogo educacional a Lei nº 10.639/2003 trazer como avanço a formação docente pautada no antirracismo; no mercado de trabalho, a implantação de políticas de incentivo à contratação de mulheres e negros constituir tentativa de garantia da diversidade; na saúde pública,

---

34 Para Jurema Werneck as mulheres negras existem do ponto de visto sociológico, sendo sujeitos identitários e políticos, resultante da articulação de heterogeneidades e demandas históricas, políticas, culturais, de enfrentamento das condições colocadas pela dominação ocidental eurocêntrica, escravidão, expropriação colonial e da modernidade racista e racializada (WERNECK, 2009, p. 76).

6. AGORA É QUE SÃO ELAS! OUVINDO AS VOZES DAS INTERNAS

o alcance das diretrizes, não somente de governos, mas de Estado no tocante à atenção integral a população negra, quase não se nota, porém, a aplicabilidade das conquistas legais dos movimentos negros, de mulheres e feministas na política de execução penal. Desconsidera-se, no sistema de justiça, a presença marcante da maioria negra, com todas as deficiências sociais em saúde, educação, trabalho, segurança pública, ainda na égide da ressocialização enquanto serviço institucional.

Uma proeza se apresenta no tratamento penal – a ressocialização destinada às mulheres encarceradas se dedica a excluí-las do convívio da sociedade, apartando-as, em linha de consequência, dos serviços e políticas públicas conquistados pelos movimentos sociais como sendo as iniciativas de inclusão e reparação das desigualdades sociais impostas à maioria negra e mulheres. Desse modo, no cárcere, não são incorporados os princípios éticos, políticos e insumos das diretrizes legais consagradas como cidadãs, opostas à vulnerabilidade social, motivadora do cometimento de delitos.

> A Constituição tá sendo completamente destruída, completamente jogada no lixo, porque o preso no Brasil não tem direito de ficar calado, e não tem o direito de se comunicar a pessoa, com a família ou com o advogado. O único direito que ele tem é de gritar devido à tortura, e tortura que eu falo é física, bem ao lado de outras presas, do que passei e... pontapés, choques, isso tudo leva a pensar que não existe uma Constituição na prática, que na prática tudo é ilusório. (Lélia)

Primeiramente praticados pelo Estado, os crimes de negação de direitos individuais e coletivos, consagrados na modernidade, aumentam as penas às mulheres encarceradas sob a forma de sexismo institucional. Sabendo das capacidades femininas de subversão, expressa sempre hostil, conjuntamente aos crimes dos agentes de segurança pública alinhados aos macropoderes da mídia (VARJÃO, 2008), que, na dianteira do processo penal, sentenciam as mulheres pobres e negras, moradoras de espaços populares, à condição de delituosas.

As experiências das mulheres encarceradas, a citar a encarcerada Lélia, presa provisória, dão legitimidade ao saber teórico referente ao racismo institucionalizado pela mídia e pelos agentes de segurança pública da Bahia. "Eu acredito na hipótese de uma ditadura inversa. Antes era os militares que oprimia a imprensa, reprimia os pensadores, e hoje os pensadores, hoje os repórteres, a mídia massacram as pessoas, uma ditadura."

Como se as verdades jornalísticas fossem eticamente inquestionáveis, o sexismo e o racismo estruturam a criminalização das camadas sociais negras, negando a esses grupos o princípio da não culpabilidade. Afugentam a presunção de inocência até a comprovação do contrário, buscando a finalidade de atender aos interesses econômicos das emissoras de televisão e creditar respeito institucional aos aparatos repressivos de Estado, na medida em que "o delegado foi sensacionalista, ele simplesmente disse na televisão que eu era a mentora intelectual, a chefe de uma quadrilha que assaltou 12 bancos com dinamite, bancos, caixas eletrônicos em Salvador" (Lélia).

A culpabilidade dos negros, a seletividade racial da segurança pública e o descaso para implantação e monitoramento de políticas públicas focadas em gênero e raça no âmbito prisional adoecem o corpo e a mente das mulheres encarceradas, vítimas de doses de racismo e sexismo cotidianos, sem prescrição dos grupos políticos feministas e negros, notadamente prognosticando a evolução de tais doenças e a morte social das internas, "então, uma tortura, uma coisa hedionda, muito mais hedionda do que o crime que eu estava cometendo no momento, que eu estava com carteira de identidade falsa", como sugere Lélia.

O racismo e o sexismo institucionais são doenças sociais instaladas no interior do Conjunto Penal Feminino de Salvador.

Tratam-se de ideologias flagradas no despreparo profissional dos servidores públicos em lidar com o marcador racial quando cruzado com a classe e o gênero, um diagnóstico do fracasso institucional na tentativa vã de possibilitar às mulheres encarceradas a incorporação de valores sociais diferentes daqueles que levaram ao cometimento da infração.

A execução penal pautada na discriminação racial propositada da instituição agrava a pena das mulheres infratoras dos preceitos de boa fé, inofensividade e submissão patriarcal do Estado, que, disposto ao etiquetamento ou *labeling approach* (BARATTA, 1999, p. 113), contradiz o pressuposto formal de (re)socializar as mulheres cuja privação de liberdade já as esbulhou dos benefícios sociais. Adicionada ao racismo e sexismo, a privação de liberdade torna-se desumana e retira das mulheres a assistência social, a saúde e a previdência, tripé de seguridade social, descrito na Constituição Federal para todo e qualquer ser humano.

Para a seguridade social das internas seria necessário que a política de assistência social não confrontasse a materialidade dos delitos institucionais, posto que "o reduzido conhecimento do racismo e suas tramas ideológicas encarceram a consciência e a visão do profissional e o fazem crer que as diferenças étnicas não são assim tão influentes na geração das diferenças sociais" (AMARO, 2005, p. 79) e se confirma quando:

> Não recebi um centavo do Bolsa Família, que falam que não teve jeito, que eu fui cadastrada em Itaparica, e que aqui eles não podia fazer nada. E eu ainda me aborreci que teve uma que me falou assim: "como é que você recebe Bolsa Família se você não tem filho?!". Eu disse: "aí você tem que perguntar a eles lá que me cadastraram". Aí elas falaram: "não, por que você sabia que você poderia responder pelo 171?". Eu falei: "eu não sabia por 171 se fui registrada com meu documento". "Ah é, porque quem tá gordinho, tem dessas coisas, sempre dá um jeitinho, não é? (Preciosa)

Nos serviços públicos destinados às encarceradas persiste a conclusão de que, para essas mulheres, a chance política de prestação de atendimento adequado não racista e não sexista pelo Estado enviereda pela ausência de controle social para avaliação de tal direito, e da expropriada autonomia das mulheres na condição de enclausuramento dos corpos e das falas para denúncias contra seus algozes: "Assim... eu não vou citar nomes" (Preciosa).

Fora das grades, a saúde, de forma holística como vem sendo pautada socialmente, atesta que o racismo e o sexismo institucionalizados adoecem as mulheres. Na prisão, a solidão por si só traduz uma doença grave, assim como o deslocamento do tratamento da dependência química das drogas, como sendo um problema de saúde à punidade acentua a ineficácia de regulação estatal frente aos problemas estruturantes vivenciados pelas mulheres.

A ausência de médicos, de profissionalização pautada em atendimento especial à saúde da mulher e da população negra, perfil racial majoritário do segmento encarcerado, revela nos diabetes, nos miomas, na hipetersão, na obesidade, na alta prevalência de HIV/AIDS, nos distúrbios mentais e emocionais o diagnóstico de morte social das mulheres encarceradas, como aponta o gráfico a seguir, a despeito da Política Nacional de Saúde Integral da População Negra[35] (2009) de maneira transversal apresentar como missão política a articulação colegiada entre as esferas de governos a fim de produzir equidade de tratamento, combater os determinantes sociais expressos pela pobreza, miserabilidade e risco de morte do contingente negro, exposto nas violações de direitos humanos ao acessar o direito à saúde.

---

[35] Ministério da Saúde, Portaria nº 992, de 13 de maio de 2009.

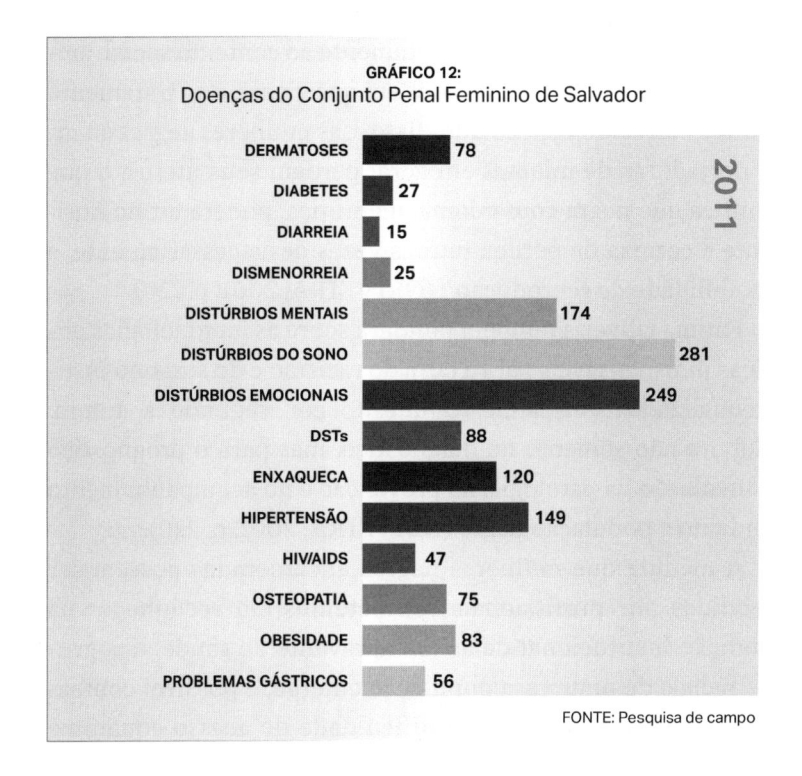

6. AGORA É QUE SÃO ELAS! OUVINDO AS VOZES DAS INTERNAS

GRÁFICO 12:
Doenças do Conjunto Penal Feminino de Salvador

2011

- DERMATOSES: 78
- DIABETES: 27
- DIARREIA: 15
- DISMENORREIA: 25
- DISTÚRBIOS MENTAIS: 174
- DISTÚRBIOS DO SONO: 281
- DISTÚRBIOS EMOCIONAIS: 249
- DSTs: 88
- ENXAQUECA: 120
- HIPERTENSÃO: 149
- HIV/AIDS: 47
- OSTEOPATIA: 75
- OBESIDADE: 83
- PROBLEMAS GÁSTRICOS: 56

FONTE: Pesquisa de campo

Na condição de microcosmo da sociedade, a prisão apresenta dificuldades de cumprimento dos princípios de universalidade, equidade, integralidade e resolutividade em saúde para a incidência e a prevalência de miomas nas mulheres em privação de liberdade. "Pra controlar a hemorragia, é uma injeção, *hemobloc*. Que eu tomei ela pela primeira vez eu não senti melhora, aí dessa vez ela me aplicou *hemobloc* com soro, que eu acho, ajuda a segurar também." (Preciosa)

De acordo com Fátima Oliveira (2001), especialista em Saúde da População Negra, embora as doenças das mulheres em geral tenham múltiplas causas, a maioria está associada ao desemprego e à sobrecarga de tarefas domésticas e públicas, as enfermidades postas às mulheres negras atuam no cenário de vulnerabilidade social e compõem a prática de extermínio da população negra, associada diretamente ao contexto social, ambiental e biológico intercruzados em que vivem, e ao tratamento político oferecido pelo Estado. "Isto é, as mulheres negras quando portadoras de miomas em geral perdem seus úteros, o que significa que negra com mioma, na prática, poderá ter no horizonte a certeza de perder, muitas vezes desnecessariamente, a possibilidade de reprodução." (OLIVEIRA, 2001, p. 120)

Fátima Oliveira também pondera sobre as metodologias políticas indispensáveis para a cura do racismo e do sexismo institucionalizados em saúde. O quesito cor, segundo a autora, colabora não somente no diagnóstico, mas para o prognóstico de involução da patologia, na prevenção e no acompanhamento condigno à população negra (OLIVEIRA, 2001, p. 220).

À medida que mulheres negras encarceradas possam ser atendidas por profissionais competentes em reconhecer na condição institucional delas um agravante de saúde, dos grupos raciais de onde essa população emerge, é possível combater o descaso, a omissão e a dificuldade de acesso equânime aos serviços públicos, o que possibilita perceber até que ponto racismo e sexismo estão institucionalizados. Por sua vez, o reconhecimento das sociedades civil e política sobre os maus-tratos institucionais a determinadas camadas sociais na prestação de serviços corrobora a ideia de irmos além da questão social. Enxergarmos racismo e sexismo sendo manejados pelos servidores públicos, mais explicitamente na política de segurança pública e na saúde, alheios aos movimentos negros e feministas, grupos políticos denunciadores da "obsessão totêmica, várias vezes demonstrada como falsa, de que a oposição de classe é a única ou a maior contradição existente na sociedade, o que relega tudo o que diz respeito à raça em mero epifenômeno" (MOORE, 2010, p. 44).

A vulnerabilidade epidemiológica da população negra atesta ao mesmo tempo a inferioridade atribuída pela instituição ao

6. AGORA É QUE SÃO ELAS! OUVINDO AS VOZES DAS INTERNAS

alcance de cada mulher negra, e que, na saúde, as mulheres encarceradas vivem a condição de inferiorizadas porque são doentes simultaneamente à condição de doentes por serem negras. Como observam Pinto e Polachini:

> O racismo implica humilhação. A humilhação adoece. Conforme explicita Barreto (2002), o ato de humilhar afirma simultaneamente o poder e a obediência, negando o outro, gerando emoções tristes. Dos desejos tristes nascerão emoções que submetem homens e mulheres à passividade. São estas emoções perturbadoras do equilíbrio que servem de alerta ao organismo, onde os conflitos internos estabelecidos por imposição externa demarcam algo que se perdeu: a saúde. A intolerância e o desrespeito não são geradores de alegria e respeito ou de qualidade de vida, mas de infelicidade e doenças, enfim, de impotência para refletir e criar. (PINTO; POLACHINI, 1996, p. 5)

A situação de mulheres que vivem com HIV/AIDS trazida por Elisabeth Pinto e Cesar Oscar Polachini (1996), e a epidemia de HIV/AIDS tratada por Jurema Werneck (2000), refletem a urgência do socorro político, omisso pelos movimentos neoidealistas às instituições prisionais femininas, pois as doenças presentes no corpo e na mente da maioria negra acentua a pena, revela o biopoder do Estado, arbítrio sobre a vida e a morte de uma população, expresso no sentenciamento da morte física e social da mulher encarcerada. "Mas esta vulnerabilidade não deve ser compreendida como uma condenação e sim como um desafio que tanto mulheres negras como toda a população precisa enfrentar." (WERNECK, 2001, p. 95)

Estressadas e loucas seriam chamadas as mulheres do Conjunto Penal Feminino de Salvador caso estivessem convivendo fora da sociedade prisional. Os distúrbios mentais e emocionais colocados pelo racismo e pelo sexismo não deixam as mulheres dormir, ao contrário, as mantêm sobre a vigilância ininterrupta de que uma visita ocasional de mulheres, negras ou não a partir da concepção de comunidade, seria um tratamento afetivo importante para as suas re(existências).

Concordo com Opal Palmer Adisa (2000) de que essas fragilidades psicológicas de adoecimento das mulheres negras são oriundas de sonhos adiados, reprimidos, promessas não cumpridas; vêm da realidade de estarem constantemente por baixo, por chorarem sempre sozinhas, por não serem privilegiadas do ponto de vista da classe e da cor, de tirarem vantagens dessas mulheres. São mulheres que já ingressam no sistema prisional com suas afetividades corrompidas pelo racismo cotidiano, endurecido no tratamento prisional. Portanto, também acredito que na prisão as mulheres estressadas têm como diagnóstico de saúde a morte, pois o *stress* não cura, "ele infecciona, ele só satisfaz quando mata. O *stress* é veneno que contamina o sangue, intumescendo e explodindo nossos corpos, exterminando nossas vidas" (ADISA, 2000, p. 113). Esta é a experiência de Lélia:

> Eu sempre penso como é possível uma mulher com um diagnóstico há 4 anos atrás sofrendo de depressão do nível... com a CID F 43... Eu sou uma pessoa, uma doente crônica depressiva devido ao extremo e prolongado... é... exposição ao estresse, ou seja, desde que eu nasci, né, que eu sofro deste estresse. Chegou um... que eu me tornei uma doente crônico depressiva e eu tomo medicação, tanto pra dormir, como pra coração, como pra pressão, e como pra depressão pra poder me mantém viva, né, me manter sadia psiqui... psiquiatricamente.

A prestação positiva do Estado no cumprimento de suas responsabilidades legais em prover o bem-estar das custodiadas é ofuscada por suas missões política – levar esse segmento pobre à prisão – e institucional – de mantê-las encarceradas. Evidencia-se mais uma vez a precarização no atendimento em saúde, transferidas para as mulheres chefes de família.[36] Os problemas de saúde das mulheres encarceradas adoecem as famílias, adoecem as mulheres da família, favorecem a pauperização das mulheres, haja vista que as mulheres devem envidar esforços demasiados para suprir as necessidades da família e da encarcerada:

> Ela tem quarenta e sete [anos], mas se você vê, você dá uns cinquenta, sessenta. A pressão, você pega no pulso parece escola de samba. Veja aí o que é pressão alta: já teve dois AVCs, um provocou a cegueira dum olho, não enxerga. Então, tudo isso porque, porque tá aperreada, porque ela tá vendo a única filha dela se encontrando aqui. Toma conta de cinco netos sem poder. Um é deficiente mental (...), a mãe era minha irmã, deu rubéola na gravidez. Minha irmã também já não está entre a gente mais; é morta. Então é sozinha pra tudo (...). Até no dia da visita comigo, acordada, conversando, dorme, porque no dia anterior da visita ela passa a noite em claro, ansiosa pra vir me ver. Sofre dia após dia, não tem um dia que a minha mãe não pegue um prato de comida que não chore. (Jackeline)

Em direção aos distúrbios emocionais das mulheres negras, levados da sociedade para as prisões, e o sofrimento institucional das encarceradas estendidos das prisões para as famílias chefiadas por mulheres envelhecidas antes do tempo, comprovamos que o encarceramento de mulheres tem repercussões na qualidade de vida de outras mulheres, pois geralmente a responsabilidade sobre a tutela das crianças não é assumida pelos

---

[36] Embora a chefia de família pareça preponderante nas famílias monoparentais das encarceradas, em suma pobres e negras, a partir do trabalho de Macedo (2008) ponderamos que esse diagnóstico não deve ser compreendido do ponto de vista vitimista. Trata-se de uma experiência também marcante nas camadas sociais médias, vincula-se às histórias sociais das mulheres, suas escolhas e autonomias, e envolvem, segundo a pesquisadora, as transformações econômicas, sociais, culturais e comportamentais nas trajetórias das mulheres em dinâmica com a sociedade.

pais, nem os companheiros, nem os amantes. Cabe a mãe, irmã e avó o compromisso de arcar com a formação dos descendentes deixados para trás:

> Mainha disse que ia trazer meus três filhos, aí eu vejo eles na segurança, digo: "a senhora vá embora com eles porque eu não quero que meus filhos veja o que é uma cela". Minha filha viu uma cela de cadeia, ela ficou horrorizada com o famoso "boi". Sabe que é esse nome que se dá, né, aonde agente faz as nossas necessidades? Ela disse: "não, não vou fazer xixi aí, não vou. Bote um pano, faz num pano, você bota um pano aí que eu faço no pano, mas aí eu não quero fazer (...), tenho nojo". (Jackeline)

A comunidade mantida entre as mulheres, mesmo algumas delas estando em diferentes espaços, constitui-se numa terapia essencial para a saúde dessas mulheres, para falar sobre suas emoções, para ouvir sobre as opressões em relação a elas, saber como estão os filhos, se estão frequentando a escola, se a mãe tomou o remédio, pois, independentemente do status institucional de presas, as mulheres continuam sendo responsáveis umas pelas outras. Por isso, "há um tempo e uma memória ancestral comuns nas histórias das mulheres negras. A celebração do encontro constrói uma comunidade entre elas" (PINTO; BOULOS; ASSIS, 2000, p. 171).

6.3 A voz da Instituição: "Sem 171, dê a voz, Prezada!"

> Eu digo que quem trabalha no sistema penitenciário é mais ou menos um autodidata, a gente aprendeu olhando, a gente não teve um curso pra aprender a trabalhar; foi aprendendo de acordo com a necessidade, e aí a gente vai desenvolvendo; cada funcionário desenvolve mais aquilo pra que tem aptidão. (Agente Penitenciária)

As vontades racistas e as ações sexistas dos agentes de segurança das prisões constituem-se na manifestação da vontade institucional na medida em que exercem atividade funcional pública. O Estado, ente abstrato em princípio, não atua por si, encarna nos sujeitos afetados as competências atribuídas. Elas, as agentes penitenciárias e demais, no exercício de função pública ou equiparada, não substituem, mas materializam a aspiração política e jurídica do Estado enquanto ente da razão. No dizer de Celso Antonio Bandeira de Mello (2010, p. 106), "a vontade e a ação do Estado (manifestada por seus órgãos, repita-se) são constituídas na e pela vontade e ação dos agentes".

> Enquanto a minha colega branca não consegue (...) tratar a branca igual a ela do mesmo jeito que ela trata uma negra, ela tem uma diferenciação, e eu procuro não fazer isso, eu trato todas exatamente igual. A única restrição que eu tenho no serviço penitenciário é com as homoafetivas.
> (Agente Penitenciária)

A instituição prisional é um espaço de correção, de norma e de disciplina. A homossexualidade, o afeto entre, de, com mulheres vai ao encontro da "mortificação do eu" tratada por Erving Goffman (1974), pois na instituição total não se pode ser o mesmo indivíduo de antes, é preciso jactar-se da ideologia da instituição; afinal, cumprir pena é pagar penitência. Posto nas relações sociais e institucionalizado, o marcador de gênero direciona o olhar da equipe dirigente ao saber hegemônico a respeito dos corpos, estritamente biologizados; inventa feminilidades e masculinidades numa perceptiva binária, negando a visita íntima para as lésbicas.

> No começo eu achei que era preconceito, não vou mentir, achei que era discriminação, mas depois eu parei pra analisar: Se não é discriminação, é o quê? Você entende a questão? Logo no começo eu fiquei insistindo.

> Por isso que eu disse a você, disseram isso pra mim, não podia ex-
> -presidiário, mas eu fui e toquei no assunto "por que fulana, o marido dela
> é ex-presidiário, entra, e minha 'figura' não pode entrar?". (Ana Alice)

Essa discriminação da instituição colocada pela obrigatoriedade heterossexista no cárcere resvala nas contribuições foucaultianas sobre disciplinamentos dos corpos por via da expiação ininterrupta da sexualidade das mulheres, visando tornar os corpos dóceis, num modelo pan-óptico de sociedade. Compõe o imaginário social presente na instituição acerca da leviandade lésbica – esse grupo assedia de forma indiscriminada qualquer mulher – como fenômeno patológico inerente ao suposto desvio sexual.

Ao mesmo tempo, o sexismo institucional estabelece barreiras para entrosamentos raciais e interclasses entre as mulheres das equipes dirigente e internada, uma vez que as sociabilidades fragmentadas pelas polaridades de classe e raça tendem a se diluir numa afetividade de iguais.

> Eu sou obrigada a discriminar pra que elas não confundam, tá certo, alimentando até uma coisa que não é verdade. Então a gente procura manter aquela distância das homoafetivas. A gente fala com elas um pouco à distância, mas a distância que elas mesmas impõem, porque elas poderiam ser homossexuais, gostar de outra mulher e não se vestir de homem. Mesmo que a funcionária do lado de cá seja homossexual ela tem que manter uma distância com aquela interna que também é homossexual. Ela tem que manter, porque a vida pessoal de cada um... a da funcionária é do portão pra fora. (Agente Penitenciária)

Ao seu turno, fracassa o serviço institucional por ser sexista a equipe dirigente. Em relação às internas, se expressa na visão de serem as mulheres do grupo de internadas moralmente inferiores e não serem dignas de confiança e merecedoras de tratamento horizontalizado (GOFFMAN, 1974). Institui, por conseguinte, um comportamento profissional arredio, contrário à visão das internas no tocante a afetividade e homossexualidade identitárias.

Nesse sentido, a privação de liberdade das mulheres coloca para o feminismo as seguintes tarefas:
- conquistar autonomia para romper com as violências,
- reconhecer que nem todas podem fazer escolhas de natureza político-organizativa contra o racismo e o sexismo institucionais,
- promover novas sociabilidades entre mulheres,
- afetar outras com preferências sexuais comuns,
- denunciar opressões lesbofóbicas – todas pautas fundantes das plataformas feministas.

Apesar da experiência de raça e de gênero colocar socialmente a maioria das mulheres em um lugar comum de opressão, a conjuntura prisional as diferencia, sobretudo quanto à ruptura com o ciclo de violências de gênero perpetrado na sociedade prisional.

> Só porque eu sou homossexual acham que eu vou dar em cima, eu vou queixar, que eu vou desrespeitar, sendo que, claro, nunca existiu nada disso. Eu jamais vou brincar com você sem que você me dê permissão. Jamais vou abraçar você sendo que você não deixa. Eu sou um tipo de pessoa assim, eu sou um pouco extrovertida, é... palhaça, brinco, dou risada, falo e tal, mas sempre no respeito. (Ana Alice)

Mesmo sendo mulheres, não compartilhamos de um destino comum, colocado pelo racismo e pelo sexismo. Diferenciamos, somos diferenciadas e somos diferentes segundo classe, raça, religião, orientação sexual e condição de liberdade, a mencionar aqui o cárcere (hooks, 1988). De posse da autora norte-americana, para a concepção de diversidade, não compreendemos a força opressiva do sexismo na vida de cada mulher, subestimamos o fato de ser um "sistema de dominação institucionalizada", que nunca determinou de forma absoluta o destino social de todas as mulheres. A mulher oprimida no cárcere, por exemplo, diferente da explorada em outro lugar social, não pode fazer a escolha de viver ou não uma vida sem violências.

O racismo vivenciado pela pesquisadora negra é diferenciado do racismo institucionalizado para as mulheres encarceradas, uma vez que, ao contrário das prisioneiras dessa tecnologia de opressão, a mulher negra que pesquisa pode romper com a relação de violência institucional a qualquer momento, pode registrar do ponto de vista acadêmico a violência racial, mas a mulher negra ou branca institucionalizada, não. Na prisão, o privilégio da mulher negra em condição de liberdade é mais valorizado como capital social que a branquidade da mulher encarcerada, mas ainda assim o racismo está livre para suas condutas. "A discriminação que você sofreu aqui dentro por ser negra, quando você abriu a boca em algum momento e disse: 'eu sou uma pesquisadora, formada em Serviço Social', isso matou muita gente, e por isso você foi discriminada." (Agente Penitenciária)

Embora o ato de discriminar materialize na instituição o poder branco, masculino, heterossexual e burguês macropolítico, dando impedimento ao "outro" de acessar a saúde, a educação, a liberdade provisória, a pesquisa de campo, a visita íntima, não podemos enveredar na crença equivocada de que é a mulher negra, agente penitenciária, quem discrimina a mulher negra encarcerada, porque o poder, como ensinam as produções foucaultianas, têm mais a ver com a estrutura que com as conjunturas (FOUCAULT, 1997). O poder vincula saberes capilarizados, dispõe vontades de micropoderes, em que o polo dominante credencia os indivíduos do grupo racial subalterno para discriminações institucionais, intransferíveis para "a vida do portão pra fora", apropriando-se dos saberes acumulados pelos mesmos indivíduos acerca das relações de diferenciação racial, de classe e gênero, os quais ressignificados e reorientados serão opostos instrumentalmente contra as similaridades subalternizadas com vista à manutenção do *status quo*.

No mais, a prisão é o lócus apropriado para o esconderijo do racismo e do sexismo institucionais diante dos controles sociais míopes aos direitos humanos das mulheres, não porque essas ideologias estejam camufladas, e sim por atuarem em conformidade ao desinteresse da sociedade em acompanhar o cumprimento das penas. Diferente do século XVIII, atualmente, tais tecnologias usam as liberdades de seus expedientes lombrosianos e mostram que o espetáculo do racismo institucional e do sexismo institucional podem ser compreendidos como êxito da instituição penal, ao cumprir o papel de arrogar dor às mulheres infratoras das recomendações do marcador de gênero.

Em direção à concepção de racismo e sexismo institucionais, a prisão não precisa de reforma para dar certo e atender de forma equitativa os usuários de seus serviços de ressocialização. Ela funciona perfeitamente para o Estado e para as elites dispostas a não se misturarem com as camadas sociais inaptas ao trabalho, intelectualmente atrasadas, destituídas de saúde mental, sexualmente corrompidas, usuárias de crack, racialmente inferiores, em suma, mulheres do ponto de vista biológico deformadas.

A sociedade moderna já não se interessa pelas penas, basta o sentenciamento. Civilizada, deslegitima as estratégias de sobrevivência social denominadas de crimes, ao mesmo tempo em que legitima o etiquetamento, dando ao cárcere a similaridade das relações excludentes da sociedade ampla, pautada em privilégios de gênero, classe e raça, espaço no qual a branquidade é um importante capital dentro da prisão, mas nem tanto. "Quando as negras eram discriminadas elas foram, sofreram, e eu, que não tendo sofrido, eu consegui amenizar o sofrimento delas. Então hoje, como é o contrário, eu me vejo em um tempo que é só a devolução do que foi recebido anteriormente." (Agente Penitenciária)

7. CONSIDERAÇÕES FINAIS: DO MATRIARCADO DA MISÉRIA À COMUNIDADE[37] DAS MULHERES – UM CENÁRIO DE PENA

A JUSTIÇA VEM SENDO pautada vigorosamente nos fóruns legitimados pelos movimentos sociais e vertentes feministas acerca da indispensável superação da má vontade política para a efetivação e o monitoramento dos instrumentos jurídicos referendados como capazes de oferecer o enfrentamento às opressões, subordinações e dominação, nas quais permanecem inscritos os direitos humanos das mulheres.

"O direito, concebido apenas como conhecimento-regulação, não possibilita a percepção da necessidade de um diálogo mais estreito entre o Sistema de Justiça e a comunidade, porque localiza no sistema estatal toda a potencialidade de realização do direito" (PASSOS; PENSO, 2009, p. 96). Essa atitude de fechamento presente no mundo jurídico tem prejudicado a criatividade político-organizativa e comunitária dos movimentos de mulheres e feministas na releitura do encarceramento das mulheres, inclusive quanto à condição de presas políticas, afinal, essas mulheres, em forma de crimes, protestaram contra o "sociocídio" ditado a elas pelo Estado.

---

[37] O conceito de comunidade é trabalhado como sendo "conjunto de indivíduos unidos por interesses comuns e sobre as mesmas regras de convivência" (PASSOS; PENSO, 2009, p. 94-95).

7. CONSIDERAÇÕES FINAIS: DO MATRIARCADO DA MISÉRIA À COMUNIDADE DAS MULHERES...

A Lei de Execução Penal, do ordenamento jurídico brasileiro, as finalmente aprovadas Regras Mínimas de Tratamento de Presas (ano de 2010),[38] a Declaração dos Direitos da Pessoa Humana, a Constituição Cidadã, a Conferência de Beijing, dentre tantos postulados de conteúdos antissexistas, antirracistas, anticapitalistas, não confessionais, retratam, a contento, o ideário da política pública, a insuficiência do Estado Democrático de Direito com suas respectivas governanças e a debilidade das contra-hegemonias oferecidas pela sociedade civil organizada.

A feminista Olympe de Gouges, na Declaração dos Direitos da Mulher Cidadã, em 1791, rebateu a naturalização de comportamentos viris como exclusivamente masculinos ao perceber que inequivocamente o sentenciamento e o encarceramento de mulheres depunham a favor do tratamento penal equivalente aos homens. Contudo, se, além disso, ela abrangesse a culpabilização tácita de segmento de mulheres historicamente excluídas, seguramente elencaria maior insumo ao documento no tocante ao direito penal, por ser o Estado seu instaurador.

Entretanto, Nilo Batista (2004, p. 25-26) entende que o sistema penal é a instituição incumbida de realizar o direito penal pela institucionalização do controle social, e tem como característica marcante o seu funcionamento seletivo, atingindo apenas determinadas pessoas integrantes de certos grupos sociais. O sistema penal apresenta-se também como justo, na medida em que buscaria reprimir o delito, restringindo sua intervenção aos limites da necessidade, em que só a pena necessária seria justa. Além disso, teria um desempenho repressivo, seja pelas frustrações das linhas preventivas, seja pela incapacidade de regular a intensidade das respostas penais, legais ou ilegais. Por fim, o sistema apresenta-se comprometido com a proteção da dignidade

---

[38] United Nations Rules for the Treatment of Women Prisoners and Non-custodial Measures for Women Offenders (the Bangkok Rules), 2010.

humana, quando na verdade é estigmatizante, promovendo uma degradação na figura social de sua clientela. Para o autor, a seletividade, a repressividade e a estigmatização são características centrais do sistema penal brasileiro, o qual, sabemos, encarcera em suas estruturas indivíduos negros/as, em sua maioria.

Se as penas às mulheres fossem enxergadas para além da igualdade de tratamento corretivo da justiça criminal, tanto a historiografia das mulheres quanto a criminologia feminista de fato substantivariam a oferecer outros aportes epistemológicos em direção ao cárcere, visto que o sentenciamento das infratoras do *status quo* se encontra refém do androcentrismo normativo. Olympe de Gouges, no artigo 8º da referida Declaração, recomendou que a lei só deveria estabelecer penas estritas e evidentemente necessárias, não podendo punir as mulheres senão em virtude de uma lei estabelecida e promulgada anteriormente ao crime e legalmente aplicada às mulheres. Há que se considerar aí que o racismo, o sexismo, a lesbofobia, o etarismo e o capitalismo são matrizes de opressão e desigualdade e, portanto, "delitos" estruturantes da lei, operados por uma jurisprudência brancocêntrica de machos, e retroalimentados na execução penal.

Com efeito, a discussão posta em certas correntes feministas não se percebe míope ao fato de a prisão ser uma modalidade de violência institucionalizada contra as mulheres; a vingança do Estado direcionada aos segmentos indesejáveis de mulheres, pobres, jovens, negras, lésbicas e deficientes sociais; sem perder, porém, a reivindicada ressocialização – remorso político da sociedade civil organizada.

Esse remorso emanado da leitura limítrofe da prisão dá pena das mulheres. Esquece os ensinamentos de Michel Foucault na obra *Em defesa da sociedade* (2005), segundo o qual os expedientes biopolíticos de controle da vida feitos pelo Estado recaem na prerrogativa institucional da punição enquanto norma utilitária para conter a população, matando ou deixando morrer, tomando o racismo como a tecnologia de saber-poder aglutinadora.[39]

É possível entender, assim, o encarceramento desproporcional da raça negra como continuação do sequestro contra o grupo racial malquisto há três séculos pelo Estado brasileiro de poderio branco, expresso na retroalimentação da alta letalidade ensejada pelos aparelhos repressivos de Estado em territórios de prevalência negra. As mulheres encarceradas, porquanto partícipes da porcentagem das pessoas ainda vivas do ponto de vista biológico, são capturadas pelas polícias para morrer socialmente na prisão.

A ausência de comunidade entre as mulheres organizadas politicamente e as dispersas em outras agremiações mistas enfraquece as correlações de forças ofertadas pelo projeto político internacional de emancipação política da mulher. Isso porque essa utopia requer o engajamento teórico, metodológico e político dos diversos grupos locais protagonizados pelas mulheres à problemática de gênero, quando emersa da estrutura de segurança pública e justiça penal, a despeito de o "saber a respeito das diferenças entre os sexos" ser caro e relevante para a visibilização das violências contras as mulheres encarceradas.

A timidez política sempre foi a característica da reivindicação relativa ao encarceramento feminino pautado nas problematizações de gênero e raça, no calendário de encontros internacionais sobre a situação das mulheres, desde a Primeira

---

39 De acordo com Sueli Carneiro (2011, p. 134), "Michel Foucault demonstrou que o direito de 'fazer viver e deixar morrer' é uma das dimensões do poder de soberania dos Estados modernos e que esse direito de vida e de morte 'só se exerce de uma forma desequilibrada, e sempre do lado da morte'. É esse poder que permite à sociedade livrar-se de seus seres indesejáveis. A essa estratégia Michel Foucault nomeou de biopoder, que permite ao Estado decidir quem deve morrer e quem deve viver. E o racismo seria, de acordo com Foucault, um elemento essencial para se fazer essa escolha. É essa política de extermínio que cada vez mais se instala no Brasil, pelo Estado, com a conivência de grande parte da sociedade".

Conferência Mundial sobre a Mulher, sediada no México em 1975; marcante no desdobramento dos planos de ação dos governos no decênio das Nações Unidas para a Mulher, de 1975 a 1985. Mais foi avançada na atmosfera política da Segunda Conferência Mundial sobre a Mulher, celebrada em Copenhague, em 1980. Esta, sabemos, possibilitou os avanços na instrumentalização de direitos protetivos às mulheres, com vistas à prevenção e eliminação de todas as formas de violência contra as mulheres e meninas.

Por sua vez, repercutiu na discussão estruturada em torno da pauperização das mulheres, da precariedade em saúde enquanto política de seguridade social, e favoreceu os impactos na economia mundial em atenção às mulheres e ao segmento criança-adolescente. Nesse último estão contidas as violências de gênero contra as meninas, engrossando a fileira das violências contras as mulheres, cujos conteúdos foram primordiais na Quarta Conferência Mundial da Mulher, realizada em Beijing, China, em 1995.

No entanto, havemos de considerar que a tentativa de estabelecimento de correlações de forças das mulheres nos espaços internacionais é exitosa, porém longe do ideal. Porque sendo no Brasil as mulheres negras segmento mais exposto a violências de gênero e raça, a tendência é que estrategicamente nos espaços bilaterais elas decidam em princípio combater alguns discursos feministas em torno da defesa de uma mulher universal. Em seguida criar alianças feministas vislumbrando dar conta da superação do racismo e sexismo, deixando inadvertidamente a esfera penal nos fóruns políticos equivalentes.

Em adição, os espaços universalizantes de direitos humanos, em posse dos ativistas homens, tem se mostrado hábeis a denunciar o desencadeado genocídio da população negra manifesto no aprisionamento e no assassinato preferencial de negros, relegando equivocadamente a problemática de gênero aos espaços estritamente de mulheres. Limita-se, dessa forma, às encarceradas a boa vontade política e epistemológica desses movimentos de direitos humanos e suas apressadas abordagens.

Sem pretender aumentar aqui as atribuições políticas das mulheres, vale considerar o fato de Matilde Ribeiro (1995) abordar a história da evolução da participação e da valorização das mulheres negras no movimento feminista brasileiro e nos eventos internacionais. A autora comprova as dificuldades de articulação com as feministas brancas que por quase duas décadas (1970-1990) não vinham incluindo as questões específicas das mulheres negras na agenda do movimento. Se considerarmos as encarceradas na condição de parcela ínfima de não negras, compreenderemos a invisibilização dessa problemática nas agendas das feministas tradicionais.

Ribeiro ainda descreve essas necessidades já sabidas de articulação na teoria e na prática relativas a classe, raça e gênero, apesar de não acrescentar aí geração. Ora, com isso se deixa somente às/aos jovens o enfrentamento e a produção de saberes sobre o modelo de segurança pública, uma vez que é da parcela jovem da população que advém a preferência sexista e racista das políticas penalógicas.

Em tempo, Matilde Ribeiro chama a atenção para necessidades das negras se apresentarem, por exemplo, na formulação de políticas públicas como e por onde podem ser contempladas, a fim de conquistar um programa especial, haja vista as diferenças e outros confrontos políticos presentes nos movimentos sociais quanto à questão sobre aborto e a sexualidade mencionada pela autora dentro dos movimentos antirracistas dificultarem a abertura de espaços de fala e legitimação tanto no movimento feminista como no interior do movimento negro, uma vez que

> Parece que o movimento feminista tornou-se mais atento ou vigilante às ações das mulheres negras no sentido de qualificar seu discurso e

prática incluindo a questão racial e étnica como importante na luta por democracia e cidadania. Pode-se dizer que as mulheres feministas negras e brancas não são mais as mesmas. Nesta viagem pelo processo de organização das mulheres negras e pelos debates e diálogos travados com o movimento feminista verifica-se que o saldo é bastante positivo. Na busca de um basta à invisibilidade, muitos são os desafios, muitos são os encontros e desencontros, muitas são as possibilidades. Torna-se importante alimentar a utopia de uma sociedade onde caibamos todas com as nossas diferenças e semelhanças. (RIBEIRO, 1995, p. 457)

Outra contribuição importante é da pesquisadora Alda Motta (1999) ao sugerir que a categoria analítica geração seja analisada na produção de conhecimento em patamar de igualdade ao gênero a fim de amadurecer a leitura de opressão na qual dispõe a mulher.

A existência de diferenças e divergências entre os movimentos feministas e as mulheres negras em relação a algumas pautas, como essas citadas por Matilde Ribeiro, têm muito mais vantagens que limites epistemológicos. No espaço de incidência das políticas públicas em torno do enfrentamento à violência contra a mulher temos a violência doméstica como o item mais problematizado politicamente, talvez por ancorar em qualquer domicílio herdado pelo patriarcalismo, independentemente da classe, raça, geração, orientação sexual, regionalidade, nível acadêmico, seja das correntes feministas ou de mulheres, o alcance de tal tecnologia de opressão.

Por consequência, essa categoria de violência conquista uma notoriedade política fortalecida pela adesão das correntes políticas mencionadas acima, diferentemente da situação prisional feminina, não obstante essa modalidade de violência também constar listada no eixo de políticas públicas necessárias para a reversão da violência contra a mulher.

Sendo assim, a feminista Luiza Bairros (1995), ao revisitar o feminismo negro americano, alerta que a especificidade da

7. CONSIDERAÇÕES FINAIS: DO MATRIARCADO DA MISÉRIA À COMUNIDADE DAS MULHERES...

mulher negra faz com que a mesma enfrente problemas de machismo no seio do movimento negro e de racismo no movimento feminista. À luz dessa reflexão, ouso-me a dizer que, do jeito que os movimentos sociais andam, tem-se a impressão de que todas as mulheres vivem em situação de liberdade, sejam elas brancas ou negras, jovens ou adultas.

Posto isso, renega-se primeiro o axioma referente à existência de mulheres distintas, vivenciando opressões e explorações demasiadamente heterogêneas, colocadas estruturalmente pelo racismo, pelo sexismo e pelo capitalismo, enquanto tecnologias de poder aptas a suscitarem nas reivindicações das mulheres negras e feministas a ruptura com o discurso de haver uma mulher universal, eternamente vítima do patriarcado, subordinada ao sexismo, igual para todas as mulheres no mundo, devido ao impacto do binômio gênero-raça no conteúdo das assimetrias homem-mulher, mulher-mulher.

Já sabemos que as mulheres são oprimidas de maneira heterogênea, e estão colocadas socialmente em contextos nos quais algumas delas são mais vulnerabilizadas pelas matrizes de opressão interseccionais, a exemplo das encarceradas, segmento ideal para ilustrar essa descoberta epistemológica dos campos de conhecimentos sociológicos. Confirma-se, nesse sentido, que as diferenças biologizadas entre as mulheres são revertidas em desigualdades particulares dos grupos humanos quando atingidos pelo sexismo de maneira desigual, não uniformizada e complexa.

Adiante, em torno dessa ideologia, existem mulheres que são acolhidas por violências que constroem o gênero, simultaneamente determina o grupo racial, a dimensão geracional e de classe, subtraindo desses mesmos grupos a condição protagônica às pautas de políticas públicas provenientes dos consensos e das alianças dos movimentos feministas e de mulheres negras em prol da implantação e do monitoramento das políticas públicas para as mulheres.

Em suma, os instrumentos regulatórios interessados em fazer caber as semelhanças e diferenças das mulheres se fragilizam, tornando-se insuficientes ao áudio dos gritos de mulheres silenciadas socialmente, tais quais as encarceradas. Elas, mulheres, negras, semialfabetizadas, pauperizadas, jovens e sem nenhuma condição de liberdade para participar dos espaços nos quais são desenhadas as políticas públicas para as mulheres, ainda fragilizadas pelos crimes cometidos pelo Estado por meio do racismo e do sexismo institucional.

Em direção à já citada utópica aliança universal contra a simbiose racismo-capitalismo-patriarcado, tríade ideológica nos ensinada por Heleieth Saffioti (1992), é mister a efetivação do Plano de Políticas para as Mulheres como resposta institucional às problemáticas de gênero, sobretudo quando combinado a outras opressões, visto o resultado político de esse instrumento ser resultante da "escuta" das mulheres em espaços colegiados.

A contingência política se dá, primeiro, no fato de as mulheres encarceradas não terem direito a voto, não elegerem suas representantes nem as propostas disputadas nas conferências de delineamento da política pública. Segundo, a pessoa em privação de liberdade teoricamente necessita contar com a atuação dos movimentos feministas e de mulheres negras para apresentar ao poder público o desempenho dos marcadores sociais quando intercruzados no espaço de pena para as mulheres.

Dispostos os marcadores sociais entendidos como as inscrições culturais provisórias ou estáveis, valorizadas como capital ou rechaçadas socialmente, exatamente presentes nas análises de Guacira Louro (2000, p. 7) nas quais "geração, raça, nacionalidade, religião, classe, etnia seriam algumas das marcas que poderiam ajudar a ensaiar uma resposta. De modo especial, as profundas transformações que, nas últimas décadas, vêm afetando múltiplas dimensões da vida de mulheres e de homens e alterando concepções, as práticas e as identidades sexuais teriam de ser levadas em consideração".

Porque daí se é possível consolidar uma agenda política conjunta e ampla, onde se perceba as vulnerabilidades impostas a esse grupo humano encarcerado, sendo majoritariamente componente da parcela populacional alvo do genocídio em curso, historicamente reatualizado à parcela negra de homens e mulheres, tal qual sabemos – grupo humano naturalizado a toda a sorte de violência econômica, sexual, psicológica e institucionalizada.

Com efeito, os cortes orçamentários nos eixos do Plano de Políticas para as Mulheres 2008, da Secretaria Especial de Políticas para as Mulheres, do Governo Federal brasileiro, nos quais as prioridades foram tiradas na II Conferência Nacional de Políticas para as Mulheres, de 2007,[40] exemplificam o descaso com que são tratadas as mulheres encarceradas e o desleixo da sociedade civil concernente ao monitoramento dos planos plurianuais, conquista democrática da Constituição de 1988, cujo caráter é obrigatório aos governos no planejamento das ações e orçamento, de modo a satisfazer as diretrizes colocadas na construção da política pública.

De acordo com a organização feminista CFEMEA – Centro Feminista de Estudos e Assessoria, em parceria com outras organizações, o Orçamento Mulher vem a ser este "conjunto das despesas previstas na Lei Orçamentária Anual que atende direta ou indiretamente às necessidades específicas das mulheres e que impacta as relações de gênero, auferindo a execução dos gastos públicos cm programas e ações destinados às mulheres"[41]. Ao analisarmos pontualmente o Programa de Prevenção e Enfrentamento da Violência Contra as Mulheres, verificou-se

---

[40] Disponível em: http://www.sepm.gov.br/pnpm/livreto-mulher.pdf
[41] Disponível em: http://www9.senado.gov.br/portal/page/portal/orcamento_senado/ps_orcmulher/execucao.

um ínfimo orçamento no ano de 2011 e apenas 47% de seus recursos ministeriais aprovados e 19% liquidados.

Embora o público formado pelas mulheres encarceradas apareça como um eixo prioritário das políticas de enfrentamento a violência contra a mulher, as metas para o enfrentamento dessa barbárie fadigam a atuação da administração pública ao regular as iniquidades sociais.

Para incluir as mulheres encarceradas, a meta da política pública é exatamente aumentar o número de presídios femininos, adequados aos dispositivos da Lei nº 11.942/2009, em cumprimento da nova redação para a Lei de Execução Penal, pretendendo assegurar às mães presas e aos recém-nascidos as condições mínimas de assistência. E a Lei nº 12.121/2009 determina que nos estabelecimentos penais destinados às mulheres, no seu quadro funcional efetivo de segurança interna, estejam somente agentes do sexo feminino.

QUADRO 3: Programa 2070 – Segurança Pública com Cidadania

OBJETIVOS PROGRAMA 2070	METAS E INICIATIVAS PPA 2012-2015
0831 – Reestruturar e modernizar o sistema criminal e penitenciário, por meio da garantia do cumprimento digno e seguro da pena, objetivando o retorno do cidadão à sociedade, a redução da reiteração criminosa, a aplicação de medidas alternativas à prisão e o combate ao crime organizado.	Metas: Aumentar o número de presídios femininos adequados aos dispositivos das leis nº 11.942/2009 e nº 12.121/2009 e aos demais direitos das mulheres em situação de prisão. Iniciativas: 03E5 – Contribuir para a manutenção das Casas Abrigo, que integram a rede especializada de atendimento às mulheres em situação de violência, visando ao fortalecimento da rede e ampliação do atendimento às mulheres nesta situação; 03E6 – Estruturação da política voltada à efetivação dos direitos da mulher encarcerada. RECURSOS NO PLOA 2012 – R$ 0,00

Fonte: CFEMEA/SENADO

7. CONSIDERAÇÕES FINAIS: DO MATRIARCADO DA MISÉRIA À COMUNIDADE DAS MULHERES...

Inversamente ao explicitado, se compreende na primeira meta prioritária o fato de a mulher, segundo Danièle Cambes e Monique Haicuault (1987), possuir a singular capacidade biológica de "produção e reprodução"[42]. Compreendemos, desse modo, que a maternidade é oficialmente sempre desejada pelo Estado capitalista e androcêntrico, estendida às forças políticas deste país serem contrárias ao direito da mulher de abortar, garantindo desse modo a política de direitos humanos em atenção à presa para o controle da natalidade, sem perder de vista o compromisso do Estado com a vida da criança e não com a morte social das mulheres alvejadas pelas violências institucionais. Trata-se, na verdade, de uma postura institucional em defesa dos direitos das crianças, merecedoras da atenção política da sociedade e Estado e em respeito ao estatuto jurídico correspondente.

Essa postura androcêntrica e capitalista do Estado desperdiça a oportunidade de responsabilizar também o homem no cuidado dos filhos e da família, na medida em que impõe à encarcerada dupla jornada de trabalho; de mulher presa que tem obrigações institucionais a cumprir no sistema penitenciário – trabalho rotinizado não remunerado – e de mãe, como amamentar, cuidados com a atenção à saúde, disciplina – igualmente não remunerado – reiterando a maternidade obrigatória e o cuidado com a família como exclusivo da mulher.

No tocante à garantia de cota para servidoras públicas na execução penal depõe a premissa de que o sexismo não é uma violência exclusiva dos homens, pois as mulheres também incorporam a mentalidade institucional, assim como os policiais

---

42 Em adição, na visão de Juliet Mitchell (1967, p. 20), a criança, enquanto um produto social está para o trabalho de parto expropriado da maternidade assim como para a expropriação do produto do trabalho alienado está o capital. "O culto social da maternidade é igualado pela real falta de poder socioeconômico da mãe. Os benefícios psicológicos e práticos que os homens recebem disso são óbvios. A conversa da busca da criação por parte da mulher na criança é o refúgio dos homens com relação ao seu trabalho dentro da família".

negros expressam o racismo das suas abordagens em consonância ao ideário da política de segurança pública, porquanto a formulação da política pública engana com o argumento falso de que o racismo e o sexismo são práticas ideológicas da individualidade, assimiladas autonomamente, ao invés de entendê-los como postulados das instituições.

Ademais, o fato de na dinâmica institucional ser obrigatória a existência de um efetivo de mulheres não anula a incorporação de agentes penitenciários homens no corpo de segurança, incorporados provisoriamente por meio de regimes de contratação temporária[43]. Isso implica que, além das violências institucionais efetivas a que estão submetidas às encarceradas, outras de natureza provisória também aparecem, de modo que constatamos o inverso do estipulado pela meta referida por estar fundada em dado meramente quantitativo para refrear as violências nas prisões. O mesmo raciocínio aplicado à analogia do policial negro referida acima pode aplicar-se à ideologia da redução da violência contra a mulher pelo aumento de mulheres no comando das delegacias de polícia. Desse modo, a meta mostra-se dependente das ideologias e não de iniciativas institucionais focadas em gênero e raça na formação dos servidores e das servidoras públicos no combate e prevenção das violências institucionais.

A manifestação de sexismo institucional presente na vontade política expressa sua atuação na citada Lei Orçamentária, a despeito de em 2012 a Política Pública para as Mulheres terem seus recursos cortados pela metade. No tocante às mulheres

---

[43] Durante a estadia de campo na penitenciária, constatamos a demissão de um agente penitenciário contratado sob o REDA por ter sido acusado da prática dessas violências não efetivas. Desde 26 de setembro de 1994 está em vigor a Lei nº 6.677, no Estado da Bahia, que institui o REDA – Regime Especial de Direito Administrativo, o qual dispõe sobre o estatuto dos servidores públicos civis do estado da Bahia, das Autarquias e das Fundações Públicas Estaduais, criado para atender às necessidades temporárias de excepcional interesse público, permitindo haver contratação de pessoal por tempo determinado.

7. CONSIDERAÇÕES FINAIS: DO MATRIARCADO DA MISÉRIA À COMUNIDADE DAS MULHERES...

presas, um equívoco irreparável é relegar a situação política dessas subversivas do Estado à gestão quase exclusiva da instância de Direitos Humanos, uma vez que é dedicada a uma perspectiva universalizante de melhoria do sistema prisional, da superação do encarceramento em massa das camadas pobres, contudo esvaziada das probabilidades de gênero e raciais.

O Programa Nacional de Segurança com Cidadania, política alarmada pelo governo como solução a todos os problemas de Justiça, se consolidou pela sua proposta de usar o trabalho das Mulheres da Paz, moradoras de territórios atingidos pela violência e por atividades ilícitas, à missão comunitária de "ajudar" os jovens envolvidos com o tráfico de drogas. O Programa desconsidera, primeiro, que o fracasso social dos jovens não é culpa das mulheres nem mérito desses jovens, e o fato de as mulheres serem destacadas também no mundo do trabalho ilegal, como estratégias de sobrevivência social.

Se há preocupação política com a situação de violência sofrida pelas mulheres encarceradas ou elegíveis ao cárcere, os recursos políticos usados para tal combate e prevenção somente reforçam os estigmas de gênero e raça. É bem verdade que o Programa Nacional de Segurança Pública com Cidadania empenhou 32% de seus R$ 2,1 bilhões na superação da problemática a que se dispõe, sendo que 87,7% desse empenho foram para pagamento de bolsa formação virtual de policiais, investigadas pela Justiça como extorsão dos cofres públicos[44].

Ocorrências exatamente opostas aos princípios das políticas públicas para as mulheres, nos quais a ética proposta no II Plano Nacional de Política para as Mulheres estaria voltada, antes, à formação e capacitação dos servidores/as públicos/as em gênero, raça, etnia e direitos humanos, de forma a

---

[44] Disponível: <http://www.correiobraziliense.com.br/app/noticia/brasil/2012/03/28/interna_brasil,295247/falhas-em-cursos-de-capacitacao-dao-prejuizo-de-r-5--milhoes-ao-governo.shtml>. Acesso em: 17 abr. 2012.

garantir a implementação de políticas públicas em direção à equidade social.

Por último, a tabela disposta acima, extraída do Orçamento Mulher, explicita os problemas ideológicos voltados à superação das violências baseadas na promoção da igualdade e combate a todas as formas de opressões contra as mulheres, nas conjunturas políticas do país. Concluímos com Alessandro Baratta (1999) acerca da crítica ao direito penal em direção ao cárcere, a criminalidade e a falácia da ressocialização por meio das práticas institucionais moldadas no rol de violências. Desse modo, o ideal de igualdade no Estado Democrático de Direito se torna inacessível a certas camadas sociais. Afinal, temos uma comunidade de mulheres fragilizadas exatamente no modelo de sociedade criminógena, nas quais,

> as características deste modelo organizativo do ponto de vista que mais nos interessa, podem ser resumidas no fato de que os institutos de detenção produzem efeitos contrários à reeducação e à reinserção do condenado, e favoráveis a sua estável inserção na população criminosa. O cárcere é contrário a todo moderno ideal educativo, porque este promove a individualidade, o autorrespeito do indivíduo, alimentado pelo respeito que o educador tem dele (BARATTA, 1999, p. 183-184).

E se formos nos atentar ao que Sueli Carneiro (2000, p. 127) tratou como cenário político das mulheres negras no Brasil, chegaremos, tão logo, à conclusão que o espaço de penitência das mulheres compreende a ressignificação de "matriarcado da miséria", utilizado pela autora em conceituação às condições de vida das mulheres negras por via da "conjugação do racismo e o sexismo produzindo sobre as mulheres negras uma espécie de asfixia social com desdobramentos negativos sobre todas as dimensões da vida".

Esses contextos de extrema miséria, segundo a autora, se manifestam em sequelas emocionais com "danos à saúde mental e rebaixamento da autoestima". Alia-se à "expectativa de vida menor, reduzida a cinco anos, em relação a das mulheres brancas; num menor índice de casamentos; e sobretudo no confinamento nas ocupações de menor prestígio e remuneração" (*Idem*, p. 128), conclui a autora, apresentando, ao nosso olhar, coincidentemente o diagnóstico social das penitenciárias femininas.

Ao retomar o fracasso da prisão para a vida social das mulheres, também aqui concordamos com Baratta (1999), portanto, que o cárcere é o lugar onde se materializa a marginalização anterior à institucionalidade punitiva, tornando inconfundível a criminalidade de determinado grupo social por meio do estigma. Uma vez que será adaptada a funções que qualificam essa "prisionização", tendo a sociedade capitalista, racista e sexista o próprio modelo de prisão para as mulheres, no qual se pretende excluir para incluir *a posteriori*.

Podemos denominar sofisma o esforço político do Estado à ressocialização de mulheres marginalizadas, criminalizadas e institucionalizadas nas prisões, dada a especificidade bio--político-social de negras, jovens e pobres, que, conforme Clerisvaldo Paixão (2009, p. 91) são, relativamente à fenotipização hegemônica, opositivas como "não europeu, desprovido de razão, submetido a determinantes atávicas, fenotipicamente feio, símio, e moralmente inferior, animalesco, construção opositiva do homem branco – livre porque racional, portador do belo e do sublime, segundo a ideologia do humanismo moderno". Posta a ausência de branquitude, marcador social valorizado socialmente, dificultar os acúmulos de outros capitais sociais antes da privação de liberdade, agora, com a institucionalização da mulher no sistema penal, se acirrar o estigma e a vulnerabilização desse perfil humano, tornando a ressocializaçao um dever meritocrático da pessoa a ser inserida, possivelmente num programa governamental e expurgada pelas ideologias anteriores às oportunidades sociais.

O fato de pertencer majoritariamente ao segmento jovem, após egressa do sistema prisional, os antecedentes criminais somente desfavorecem a prometida condição de igualdade e oportunidade sociais para essa geração. Por ser mulher jovem, negra, pleiteando a colocação no mercado de trabalho adultista, racista e valorativo da capacitação e experiência profissional, inventada pela elite detentora dos meios e modos de produção, essa mulher será impactada na sua elegibilidade para a ruptura com a pobreza estruturada. Pobreza essa que não aumentou a idade da velhice ao direito de seguridade social, mas acelerou o seu envelhecimento social por meio de conhecidas políticas fragmentadas e higienistas de vigilância ininterruptas de grupos humanos vulnerabilizados.

Sendo negra, mulher, jovem, pobre inserida na trama institucional de classificação deste perfil, a condição de fracassadas sociais subsidia o discurso do Estado de que nas mãos dos jovens está o futuro da nação, a ordem e o progresso do país, e não a legítima defesa contra os crimes do Estado, por meio, agora, do cometimento de outros crimes deste primeiro, porém tipificados no direito penal. Mas não podemos perder de vista a realidade criminalizante em curso pela mídia com o aval do Estado, voltada a reforçar a concepção de haver territórios violentos e pessoas perigosas sobre as quais a intervenção da polícia se faz necessária, causando a redução da receptividade dessa camada social pelo mercado de trabalho e às atividades lícitas.

A solução para o prognóstico social das mulheres criminalizadas, de reiterados ingressos e incessante reincidência às prisões, teria nos instrumentos jurídicos um remédio para o malefício provocado pelas matrizes de opressão, contudo, as leis de proteção aos direitos humanos das encarceradas se distanciam em proporção alarmante aos direitos humanos essenciais a esse público, com foco, no mínimo, na dimensão de gênero, classe e racial.

7. CONSIDERAÇÕES FINAIS: DO MATRIARCADO DA MISÉRIA À COMUNIDADE DAS MULHERES...

A esperança sobre a possibilidade da execução penal experimentada pelas mulheres ser compatível à garantia da dignidade da pessoa humana se torna uma meta política cada vez mais distante, sobretudo porque as conquistas para esse público vêm acompanhadas de conteúdos rechaçados pelo pensamento feminista e porque as mulheres organizadas nos movimentos sociais ainda não criaram condições políticas para a participação das encarceradas e suas pautas raciais e de gênero, sem supri-las a ótica tão somente dos direitos humanos universais.

É verdade o fato de em 2010 o Estado brasileiro ter participado da construção e aprovação das Regras Míninas de Tratamento de Presas, normas jurídicas com poucas contribuições efetivas, não substitutas do regulamento anterior, entretanto atentas às especificidades das mulheres, da maneira como as compreende a sociedade política: mãe, carente, ingênua, distanciada daquele perfil de gênero referendado nas produções de conhecimento legítimas. A constar, seguem uma amostragem de algumas das Regras que apresentam benefícios e fragilidades.

A despeito de a legislação e recente jurisprudência brasileira determinarem que as ações judiciais de combate à violência contra a mulher devam ser acolhidas pelo Judiciário independentemente do arrependimento posterior das mulheres em prestarem queixa[45], o dispositivo número sete das Regras Mínimas apresenta retrocesso nesse sentido, assim determinando:

---

45 Além da publicação da Lei nº 11.340, de 7 de agosto de 2006, que criou mecanismo para coibir a violência doméstica e familiar contara a mulher, denominada Lei Maria da Penha, o Supremo Tribunal Federal, órgão máximo do Judiciário brasileiro, julgou procedente a Ação Direta de Inconstitucionalidade nº 4424, impetrada pela Procuradoria Geral da República, e a Ação Direta de Constitucionalidade nº 19, definindo ser desnecessária a representação da vítima para instauração do inquérito policial, nem para a propositura da ação penal muito menos poderá a vítima retratar-se após iniciada a investigação ou oferecida a denúncia pelo órgão do Ministério Público.

Regra 7
- Se a existência de abuso sexual ou outras formas de violência antes ou durante a detenção for diagnosticada, a mulher presa deve ser informada do seu direito de recorrer às autoridades judiciárias. A mulher deve ser plenamente informada dos procedimentos e etapas envolvidas. *Caso ela concorde*[46] em adotar medidas legais, o pessoal adequado deve ser imediatamente informado e remeter o processo à autoridade competente para a investigação. As autoridades da prisão devem ajudá-la a ter acesso à assistência legal.
- Quer ou não a mulher opte por tomar medidas legais, as autoridades da prisão devem envidar esforços para garantir que ela tenha acesso imediato a apoio psicológico especializado ou aconselhamento.
- Medidas específicas devem ser desenvolvidas para evitar qualquer forma de retaliação contra aquelas que fazem tais denúncias ou tomam as medidas legais.

Como já referido no capítulo anterior, a população predominante no cárcere feminino é de mulheres dependentes químicas da droga denominada de "crack", demandando intervenção do sistema de saúde e não de medidas repressivas próprias do sistema penal, implicando maior punição em seu encarceramento, reprovável ainda porque não é a prisão o espaço terapêutico para esse problema de saúde. Salientamos que o tratamento é um direito da mulher de acesso ao sistema de saúde não condicionado à sua situação biológica de mulher grávida encarcerada. A esse respeito, vejamos o que reza a décima quinta Regra:

---

[46] Grifo nosso.

7. CONSIDERAÇÕES FINAIS: DO MATRIARCADO DA MISÉRIA À COMUNIDADE DAS MULHERES...

Regra 15
- Os serviços de saúde nas prisões devem fornecer ou facilitar programas especializados de tratamento para usuários de drogas, tendo em conta a sua possível vitimização, atendendo primeiro as necessidades especiais das mulheres grávidas e mulheres com crianças, e a diversidade de seus respectivos contextos culturais.

O procedimento da revista do conjunto penal feminino de Salvador submete os visitantes das internas a situações vexatórias, a ponto de, em nome da segurança do sistema, homens e mulheres serem obrigados a se exporem em posições invasivas para visualizar seu ânus e/ou vagina. É inevitável o constrangimento dos homens subjugarem sua masculinidade forjada na virilidade e na "macheza". No caso das visitantes mulheres, a rejeição por parte das internas de verem suas mães, irmãs e filhas serem submetidas a tais expedientes institucionais degradantes. Para as internas, seguramente o direito à visita familiar, trazido pela Lei de Execução Penal aliado às Regras Mínimas no tocante à modernização dos procedimentos pela digitalização favorece o fortalecimento dos vínculos afetivos entre as internas e seus familiares quando não expostos à violenta inspeção institucional. Consoante a isso, determina da vigésima Regra:

Regra 20
- Métodos alternativos de inspeção, a exemplo da digitalização, devem substituir revistas corporais invasivas, a fim de evitar os possíveis efeitos psicológicos prejudiciais e o impacto físico das inspeções corporais invasivas.

A vigésima quinta Regra representa um avanço por parte do Estado na percepção das internas como vítimas de um cenário doméstico de violência e dos efeitos impactantes dessa violência na sociabilidade da mulher encarcerada. Entretanto, a vigésima quinta Regra não alcança o fato de a penitenciária ser a "sociedade dos cativos", microcosmo de violências amplas, tendo na cela a miniatura do ambiente doméstico, cujos membros exercem papéis de gênero definidos.

A "Lei Maria da Penha", por exemplo, é o resultado da reivindicação do movimento feminista em autorizar o Estado a intervir no espaço privado como meio de reprimir as violências domésticas contra a mulher, na medida em que determina como medida protetiva de urgência que obriga ao agressor o "afastamento do lar, domicílio ou local de convivência com a ofendida"[47], medida requerida ou pela mulher ou pelo órgão do Ministério Público em sua função de fiscal da lei. Nesses termos, verificamos certa simetria com a conduta da interna em procurar o apoio do corpo de segurança e de gestão da unidade prisional com o intuito de afastá-la da convivência com outra presa com quem estabeleceu relacionamento afetivo, a qual acusa de vitimá-la com a prática de violência em virtude do vínculo afetivo, por meio da substituição de cela.

A ausência de formação de gênero e raça faz com que as funcionárias públicas encarregadas da vigilância e gestão das internas e dos procedimentos de segurança do sistema da Unidade prisional reduzam a violência contra a mulher e os vínculos lesboafetivos a indisciplina das internas no cumprimento da pena, em vez de acionar os mecanismos legais dispensados pela Lei Maria da Penha, acirrando assim a forma a mais de penalizá-las.

É a mulher lésbica masculinizada, as assim chamadas de *piolho* ou *viado*, a responsável por comportar o arquétipo de virilidade e em reproduzir as violências contra a *layde* ou *lêndia*, correspondente à mulher de características opostas à anterior. Vale mencionar que as violências no corpo passam pela

---

47 Lei Maria da Penha, seção II, artigo 22, inciso II.

construção do que é o feminino por meio da categoria mulher, e não somente pelas diferenças sexuais. Assim textualiza a vigésima quinta Regra:

Regra 25
- Tendo em vistas a situação das mulheres em privação de liberdade, vítimas de um desproporcional grau de violência doméstica, estas serão adequadamente consultadas a respeito de quais membros da família estarão autorizados a visitá-las.

Ao contrário da Lei em vista da segurança preponderante, em comparação aos Direitos humanos, o que verificamos são critérios institucionais para as visitas baseados na heterossexualidade obrigatória, no moralismo e na concepção de família reduzida à consanguinidade e ao modelo nuclear pequeno-burguês e brancocêntrico, confiscando o exercício da homoafetividade entre as internas, haja vista elas não se enquadrarem nesses critérios normativos.

No caso das famílias, a ancestralidade incorpora vínculos de afeto não necessariamente dispostos na consanguinidade. O caráter distintivo das famílias negras é a liderança de suas mulheres de duas ou mais gerações, a despeito do Conjunto Penal Feminino de Salvador impor como exigência para visita que o parentesco reduza-se ao primeiro grau de consanguinidade e à normatividade jurídica do casamento ou de uniões estáveis heterossexuais, comprovadas por meio exclusivo de documento idôneo. Mais um tipo-pena é imposto às internas como consequência de sua condição de encarceradas, compreensão extraída das duas Regras seguintes:

Regra 26
- O contato das internas com suas famílias deve ser incentivado e facilitado por todos os meios razoáveis, incluindo seus

filhos, seus responsáveis e seus representantes legais. Sempre que possível, devem ser adotadas medidas para a não redução dos vínculos familiares das mulheres que estão em instituições longe de casa.

Regra 27
- Às internas serão permitidas visitas conjugais, tendo os mesmos direitos que os internos do sexo masculino.

Observamos a trigésima segunda Regra como um avanço quando comparado ao Plano de Enfrentamento de Violência contra as Mulheres, da Secretaria Especial de Políticas para as Mulheres, do Governo Federal brasileiro, pois este tem como meta o atendimento à garantia dos direitos das internas, no Eixo enfrentamento à Violência contra a Mulher, a inscrição no quadro efetivo de servidores das Unidades Prisionais femininas somente de mulheres, como se estas fossem isentas de práticas discriminatórias, as quais seriam exclusivas dos homens. A trigésima segunda Regra, por sua vez, reconhece a necessidade de homens e mulheres em exercício funcional no sistema prisional serem passíveis de práticas de violências institucionais, efetivas ou provisórias, de gestão ou de segurança, tanto quanto de igualdade na formação e no treinamento como forma de dirimir a ação modeladora sobre o caráter das internas. Senão, vejamos:

Regra 32
- O corpo funcional de mulheres do presídio feminino deve ter acesso a igual treinamento que seus colegas do sexo masculino, e todos os funcionários envolvidos na gestão do presídio para mulheres deve receber formação sobre as questões de gênero e das necessidades de eliminação da discriminação e assédio sexual.

7. CONSIDERAÇÕES FINAIS: DO MATRIARCADO DA MISÉRIA À COMUNIDADE DAS MULHERES...

7.1 Últimas Palavras

A experiência de passar pela prisão se constitui uma memória dificilmente de ser apagada por qualquer mulher engajada em lutas políticas contra o desmantelamento do racismo e do sexismo arraigados neste modelo de sociedade. (Re)visitar o diário de campo e as entrevistas provocam tristes e intraduzíveis inquietações intelectuais e políticas.

Aqui fora, mulheres realizam abortos clandestinos, vitimadas pela moralidade de Estado que, sob o discurso de valorização da vida, se recusa à garantia de seus direitos ao próprio corpo e à reprodução. No entanto, "na sociedade dos cativos", existem mulheres cuja gravidez era por elas desejada, e o Estado, negando aquele discurso, aborta seus filhos, jogando-os no "boi".

Nesse microcosmo, embora não empoderadas, as mulheres querem romper com o ciclo de violência, ou ao menos denunciar seus algozes. Se os homens ofertam flores retroalimentando o circuito violento, o Estado se reconcilia com as flores das Regras Mínimas para Tratamento de Mulheres Encarceradas, como se tudo estivesse bem em casa.

Alie-se certa dose de constrangimento de quem se desvincula provisoriamente do cenário investigado com a sensação de saber-poder mais que dissertativo. E, do ponto de vista da proposta ético-política, não constituir mais uma pesquisa que se vincula à realidade das internas interfere em suas esperanças comunitárias e em políticas públicas, causando, para a representação do *Eu*, embaraços.

A certeza de estas linhas não chegarem a tempo de serem lidas pelas internas; a defasagem escolar da maioria negra; a imunodeficiência adquirida, e a barreira cultural, próprias da instituição total, tendem a rechaçar a leitura deste trabalho pelas internas e, consequentemente, dar retorno a cada mulher encarcerada pela disposição e disponibilidade na coautoria deste trabalho.

Com o enfoque da interseccionalidade, disposta no entrelace e na interlocução dos marcadores sociais de raça, gênero, classe, orientação sexual, geração, identidade religiosa, dinamizados juntos, por vezes, ao mesmo tempo, em direção à realidade prisional, urge oferecermos socorro epistêmico, tal qual recomenda o feminismo negro e seu aporte intelectual, resultante da combinação de aprendizados pós-coloniais, feministas e do ponto de vista da mulher negra.

Numa releitura da feminista Kimberlé Crenshaw acerca da interseccionalidade, teórica que costuma ilustrar, nas suas palestras pelo Brasil, um acidente numa rua transversal onde se encontra a mulher negra aguardando socorro político e epistemológico, há uma recusa do movimento negro em atendimento à vítima, por enxergar nela somente a condição de mulher. Enquanto isso as feministas, para o socorro teórico-metodológico de atendimento à mulher negra, fracassam devido ao uso de instrumental brancocêntrico, ainda que isso venha mudando pontualmente a partir da década de 1990.

Com efeito, se a corrente epistemológica do feminismo negro se compromete ao atendimento comunitário da mulher negra, havemos demonstrado neste livro a iminência da morte biopolítica nas prisões femininas, nas quais a metáfora da feminista afroamericana se materializa pela inexistência de socorro político para as encarceradas, pois o acidente ocorreu numa transversal para a qual os instrumentais feministas e antirracistas olham, mas não acessam as ferramentas políticas para intervenções favoráveis. Mesmo sendo as prisões reatualização dos navios negreiros com as suas tecnologias de gênero.

Este livro se insere na linha de concentração de gênero, poder e políticas públicas. Suscita, desse modo, que na formulação e na implantação das políticas públicas para as

7. CONSIDERAÇÕES FINAIS: DO MATRIARCADO DA MISÉRIA À COMUNIDADE DAS MULHERES...

mulheres haja orçamento e execução, mas não se olvide as encarceradas. O empenho dos movimentos feministas, de mulheres e negros suscite, inclusive, a realização de conferências oficiais nos espaços prisionais, e amplie, assim, a democracia aos fóruns deliberativos, elencando propostas desenhadas com as encarceradas, e não pela intuição teórica da academia ou da política dos movimentos, restritas à plataforma de aumento dos presídios, atenção exclusiva à gestação como única ocorrência na vida das encarceradas, ou ao abandono pelos maridos e companheiros.

Exija-se nos servidores públicos, sobretudo médicos, assistentes sociais e agentes penitenciários formação profissional focada em gênero e raça para a cobertura de atendimento não discriminatório nas unidades prisionais apesar de, no caso das prisões, o racismo e o sexismo institucionais serem exitosos pelo fracasso ofertado aos seus usuários. Por haver em cada expediente institucional a mortificação das encarceradas exposta ao estresse, à solidão e à violência contra a mulher, sabidamente presentes nos espaços privados.

É mister, ainda, atenção aos crimes praticados pela mídias televisivas e seus sentenciamentos arbitrários contra as mulheres negras, expondo-as à miserabilidade inerente aos territórios culturamente conhecidos como criminosos, inelegíveis, portanto, à colocação no mercado de trabalho racista, sexista e agora segregacionista em termos espaciais.

Neste livro, não houve a pretensão teórico-metodológica de capturar todas as opressões presentes no Conjunto Penal Feminino de Salvador dada a multiplicidade de violências juntas e intercruzadas simultaneamente em direção às encarceradas. Durante este trabalho reiteramos o fracasso das prisões. Apontamos a necessidade de abolição desses artefatos como forma de enfrentamento ao racismo e ao sexismo institucionais sobressaltantes neste microcosmo de violências contra as mulheres.

Primeiro porque a opressão às encarceradas se inicia com o julgamento criminoso por parte dos tentáculos estatais, carregados de valores sexistas-racistas, quais sejam o Ministério Público, a Polícia e o Poder Judiciário. Segundo, por haver notória trama hegemônica contra as pobres, negras, jovens, moradoras de territórios malquistos socialmente, vítimas da mídia e seus interesses econômicos de sensacionalismo e estigmatização, julgando os bairros pobres de violentos, sem direito de defesa das mulheres.

No entanto, podemos sugerir que os colegiados de controle social em direção ao cárcere sejam instrumentalizados dos conhecimentos emanados pela ciência feminista tocante à desnaturalização de violências contra as mulheres, e persistência de estereótipos biologizantes a partir de, *a priori,* de gênero e raça. Visto as vontades comunitárias, contra-hegemônicas, quase inobservarem as opressões, subordinações e explorações estruturadas no âmbito da privação de liberdade.

Pena a realidade em saúde da população negra encarcerada. Realidade incriminada pela dificuldade de controle social dos movimentos antirracistas e colegiados voltados à recomendação e ao monitoramento do direito cidadão à saúde, estando a pessoa encarcerada ou não conforme prescreve a Política Integral de Atenção a Saúde da População Negra. As vulnerabilidades em saúde para mulheres institucionalizadas, no tocante à dimensão racial, somadas às vontades políticas aprisionadas, impedem o reconhecimento e o combate da existência do racismo institucional no sentido afro-americano, como sendo dispositivos racializados carregados de interesse dos segmentos hegemônicos no Sistema Único de Saúde. Isso agrava, por conseguinte, a situação epidemiológica dos usuários desse direito constitucional no Conjunto Penal Feminino de Salvador, sugestionando, portanto, a adoção imediata de ações antirracistas no sistema prisional.

7. CONSIDERAÇÕES FINAIS: DO MATRIARCADO DA MISÉRIA À COMUNIDADE DAS MULHERES...

Dessa inobservância é que o nosso Estado avança no "genocídio" das categorias humanas de maioria negra, coconstrutoras do patrimônio civilizatório; mulheres fadadas a viver marcadas pela ordem do patriarcado racista; condicionadas socialmente a infrações de penas duras, e, consequentemente, aos julgamentos e sentenças não laicas, pautadas na relação pecado-crime. Enquanto não mostrarmos nossa civilidade para extinção desses espaços punitivos, depomos contra o fim da violência contra a mulher. Afinal, manter o cárcere é manter o ciclo de violência, é impedir que a vítima saia dos braços do agressor, o Estado.

Posto isso, sabemos que as conquistas dos direitos das mulheres nunca vieram de forma simpática. Todas foram alcançadas à base da resistência, da chefia familiar, das queixas, do voto, do banzo, das celas, da escrita, da oralidade, dos acordos. Portanto, para o fim das prisões não será diferente. As feministas devem aumentar seus investimentos dissertativos e políticos em direção às prisões, pois, independentemente das conjunturas democráticas ou tiranas, o racismo e o sexismo institucionais são ideologias estruturantes da sociedade após a escravidão.

REFERÊNCIAS

ADISA, Opal Palmer. Balançando sob a luz do sol: stress e mulher negra. In: WERNECK, Jurema; MENDONÇA, Maísa; WHITE, Evelyn C. *O livro da saúde das mulheres negras:* nossos passos vêm de longe. Rio de Janeiro: Pallas / Criola, 2000, p. 111-115.

ADORNO, Sergio. *Racismo, criminalidade violenta e justiça penal:* réus brancos e negros em perspectiva comparativa. Estudos Históricos, Rio de Janeiro, n. 18. 1996. Disponível em: <http://www.nevusp.org/portugues/index.php?option=com_content&task=view&id=1478&Itemid=96>. Acesso em: 12 abr. 2012.

AGUIRRE, Carlos. Cárcere e sociedade na América Latina: 1800-1940. In: MAIA, Clarissa Nunes, BRETAS, Marcos Luis; COSTA, Marcos Paulo Pedrosa; SÁ NETO, Flávio de. (Org.). *História das prisões no Brasil*, Rio de Janeiro: Rocco, v. I e II, 2009, p. 9 -77

ALBUQUERQUE, Wlamyra R. de; FRAGA FILHO, Walter. *Uma história do negro no Brasil.* Salvador: Centro de Estudos Afro-Orientais / Fundação Cultural Palmares, 2006.

ALTHUSSER, Louis. *Ideologia e Aparelhos ideológicos de Estado.* Lisboa: Editora Presença /Martins Fontes, 1980.

ALVES, Claudete. Negros. *O Brasil deve milhões! 120 anos de uma abolição inacabada.* São Paulo: Editora TECCI, 2008.

AMARO, Sarita. A questão racial na assistência social. *Revista Serviço Social e Sociedade*, n. 81, ano XXVI, p. 58-81, mar. 2005.

ANDRADE, Vera Regina Pereira de. Criminologia e Feminismo: da mulher como vítima à mulher sujeito da construção da cidadania. *Revista*

Sequência. Santa Catarina, Florianópolis: EdUFSC, v. 18, n. 35, p. 42-49, 1997.

AQUINO, Silvia de. *Análise de Delegacias Especiais de Atendimento à Mulher (DEAMs) em funcionamento no Estado da Bahia, em uma perspectiva de gênero e feminista*. Salvador, 2006.

ATHAYDE, Celso; BILL, MV. *Falcão:* mulheres e o tráfico. Rio de Janeiro: Objetiva, 2007.

AZERÊDO, Sandra. Teorizando sobre gênero e relações raciais. *Revista Estudos Feministas*, p. 203-216, 2º semestre, 1994. Edição especial.

BAIRROS, Luiza. Nossos feminismos revisitados. *Revista Estudos Feministas*. Rio de Janeiro: FCS/UFRJ; PPCCIS/UERJ, v. 3, n. 2, p. 458-463, 1995.

_____. A mulher negra e o feminismo, In: COSTA, Ana Alice A. e Sardenberg, Cecília M. B. (Org.). *O Feminismo do Brasil:* reflexões teóricas e perspectivas. Salvador: UFBA / Núcleo de Estudos Interdisciplinares sobre a Mulher, 2008, p. 139-146. Disponível: <http://www.neim.ufba.br/site/arquivos/file/feminismovinteanos.pdf>. Acesso em: 12 dez. 2011.

BARATTA, Alessandro. *Criminologia crítica e crítica do direito penal*. Rio de Janeiro: Freitas Bastos, Instituto Carioca de Criminologia, 1999.

BARROS, Zelinda. A mulher criminosa em manchete: perfil da delinquente traçado por um meio de comunicação. In: PASSOS, Elizete; ALVES, Ívia; MACÊDO, Márcia (Org.). *Metamorfose:* gênero nas perspectivas interdisciplinares. Salvador: UFBA, Núcleo de Estudos Interdisciplinares sobre a Mulher, 1998, p. 11-122.

BATISTA, Nilo. *Introdução Crítica ao Direito Penal*. Rio de Janeiro: Renavan, 2004.

BECCARIA, Cesare. *Dos Delitos e das Penas*. Lisboa: Fundação Calouste Gulbenkian, 1998.

BOURDIEU, Pierre. *O Poder Simbólico*. Rio de Janeiro: Bertrand Brasil, 2009.

BRAUNSTEIN, Helio Roberto. *Mulher Encarcerada:* trajetória entre a indignação e o sofrimento por atos de humilhação e violência, 2007, f. 173 – Dissertação (Mestrado em Educação) – Faculdade de Educação, Universidade Federal da Bahia, Salvador, 2007.

BRASIL. Lei nº 601, de 18 de setembro de 1850. Lei de Terras. Dispõe sobre as terras devolutas do Império. Disponível em: <http://www.planalto.gov.br/ccivil_03/LEIS/L0601-1850.htm>. Acesso em: 18 fev. 2012.

REFERÊNCIAS

_____. Código Penal. Decreto-Lei n. 847, de 11 de outubro 1890. Código Penal. Disponível em: <http://legis.senado.leg.br/norma/389719/publicacao/15629240>. Acesso em: 18 fev 2012.

_____. Código Penal. Decreto-Lei n° 2.848, de 7 de dezembro de 1940. Disponível em: <http://www.planalto.gov.br/ccivil_03/decreto-lei/del2848.htm>. Acesso em: 18 fev. 2012.

_____. Código de Processo Penal. Decreto-Lei n° 3.689 de 3 de outubro de 1941. Disponível em: <http://www.planalto.gov.br/ccivil_03/decreto-lei/del3689.htm>. Acesso em: 18 fev. 2011.

_____. Instituto de Pesquisa Econômica Aplicada (IPEA); Secretaria de Políticas de Promoção da Igualdade Racial (SEPPIR); Secretaria de Política para as Mulheres (SPM); ONU Mulheres. *Retrato das Desigualdades de Gênero e Raça 2011*. Brasília, 2011.

_____. Lei n. 6.368 de 1976 – Lei de drogas revogada. Dispõe sobre medidas de prevenção e repressão ao tráfico ilícito e uso indevido de substâncias entorpecentes ou que determinem dependência física ou psíquica, e dá outras providências. Disponível em: <http://www.planalto.gov.br/ccivil_03/Leis/L6368.htm>. Acesso em: 19 fev. 2012.

_____. Lei n. 7.210, de 11 de julho de 1984. Lei de Execução Penal.Institui a lei de execução penal. Disponível em: <http://www.planalto.gov.br/ccivil_03/Leis/L7210.htm>. Acesso em: 18 fev. 2012.

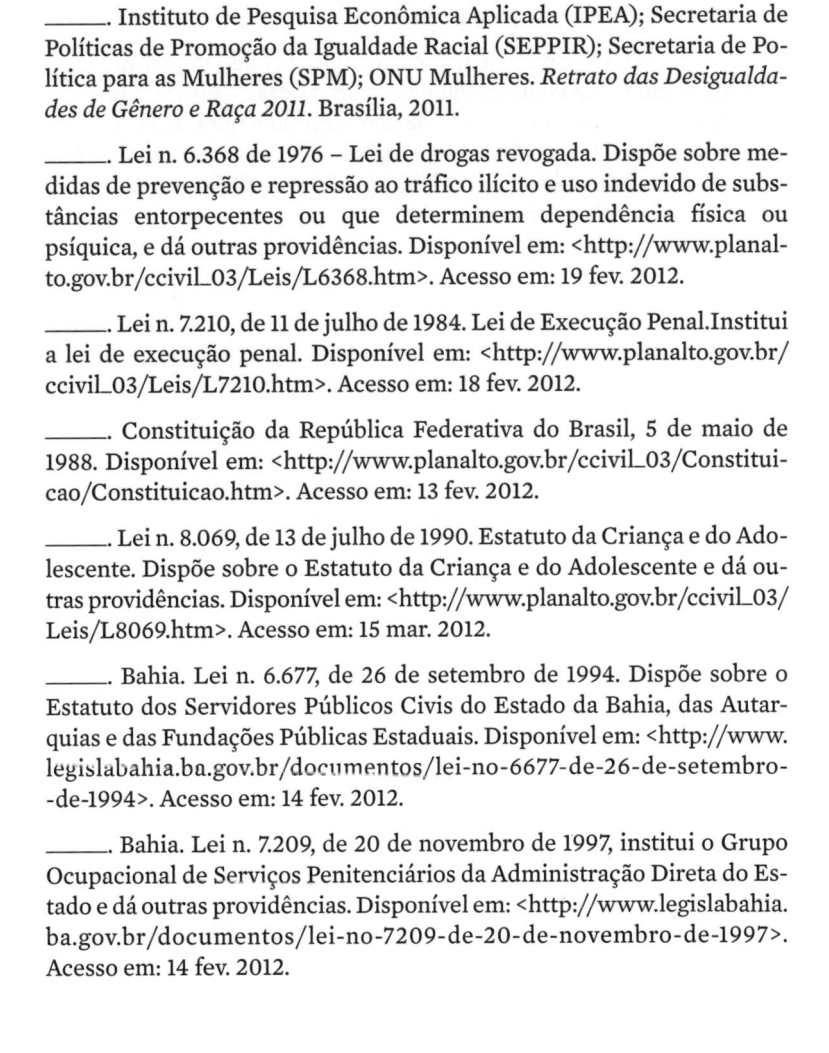

_____. Constituição da República Federativa do Brasil, 5 de maio de 1988. Disponível em: <http://www.planalto.gov.br/ccivil_03/Constituicao/Constituicao.htm>. Acesso em: 13 fev. 2012.

_____. Lei n. 8.069, de 13 de julho de 1990. Estatuto da Criança e do Adolescente. Dispõe sobre o Estatuto da Criança e do Adolescente e dá outras providências. Disponível em: <http://www.planalto.gov.br/ccivil_03/Leis/L8069.htm>. Acesso em: 15 mar. 2012.

_____. Bahia. Lei n. 6.677, de 26 de setembro de 1994. Dispõe sobre o Estatuto dos Servidores Públicos Civis do Estado da Bahia, das Autarquias e das Fundações Públicas Estaduais. Disponível em: <http://www.legislabahia.ba.gov.br/documentos/lei-no-6677-de-26-de-setembro-de-1994>. Acesso em: 14 fev. 2012.

_____. Bahia. Lei n. 7.209, de 20 de novembro de 1997, institui o Grupo Ocupacional de Serviços Penitenciários da Administração Direta do Estado e dá outras providências. Disponível em: <http://www.legislabahia.ba.gov.br/documentos/lei-no-7209-de-20-de-novembro-de-1997>. Acesso em: 14 fev. 2012.

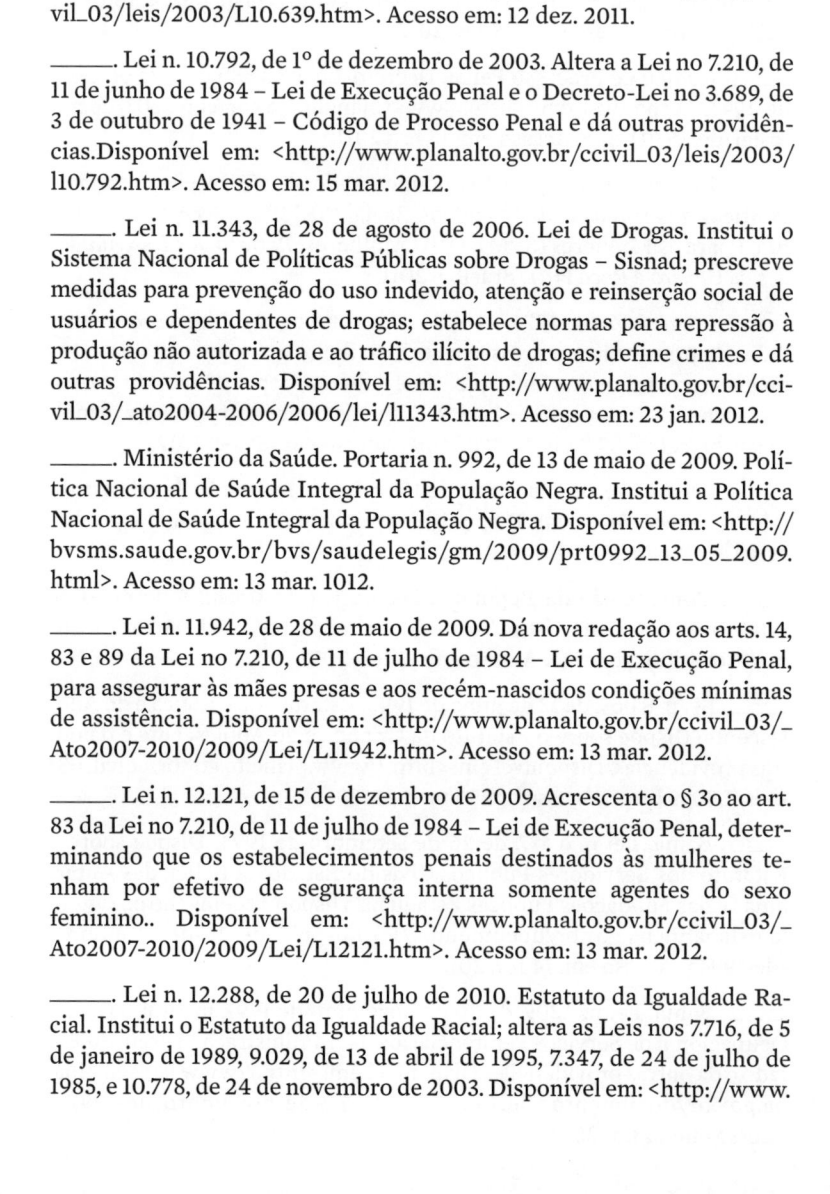

_____. Lei n. 10.639 de 2003, de 9 de janeiro de 2003. Altera a Lei no 9.394, de 20 de dezembro de 1996, que estabelece as diretrizes e bases da educação nacional, para incluir no currículo oficial da Rede de Ensino a obrigatoriedade da temática "História e Cultura Afro-Brasileira", e dá outras providências. Disponível em: <http://www.planalto.gov.br/ccivil_03/leis/2003/L10.639.htm>. Acesso em: 12 dez. 2011.

_____. Lei n. 10.792, de 1º de dezembro de 2003. Altera a Lei no 7.210, de 11 de junho de 1984 – Lei de Execução Penal e o Decreto-Lei no 3.689, de 3 de outubro de 1941 – Código de Processo Penal e dá outras providências.Disponível em: <http://www.planalto.gov.br/ccivil_03/leis/2003/l10.792.htm>. Acesso em: 15 mar. 2012.

_____. Lei n. 11.343, de 28 de agosto de 2006. Lei de Drogas. Institui o Sistema Nacional de Políticas Públicas sobre Drogas – Sisnad; prescreve medidas para prevenção do uso indevido, atenção e reinserção social de usuários e dependentes de drogas; estabelece normas para repressão à produção não autorizada e ao tráfico ilícito de drogas; define crimes e dá outras providências. Disponível em: <http://www.planalto.gov.br/ccivil_03/_ato2004-2006/2006/lei/l11343.htm>. Acesso em: 23 jan. 2012.

_____. Ministério da Saúde. Portaria n. 992, de 13 de maio de 2009. Política Nacional de Saúde Integral da População Negra. Institui a Política Nacional de Saúde Integral da População Negra. Disponível em: <http://bvsms.saude.gov.br/bvs/saudelegis/gm/2009/prt0992_13_05_2009.html>. Acesso em: 13 mar. 1012.

_____. Lei n. 11.942, de 28 de maio de 2009. Dá nova redação aos arts. 14, 83 e 89 da Lei no 7.210, de 11 de julho de 1984 – Lei de Execução Penal, para assegurar às mães presas e aos recém-nascidos condições mínimas de assistência. Disponível em: <http://www.planalto.gov.br/ccivil_03/_Ato2007-2010/2009/Lei/L11942.htm>. Acesso em: 13 mar. 2012.

_____. Lei n. 12.121, de 15 de dezembro de 2009. Acrescenta o § 3o ao art. 83 da Lei no 7.210, de 11 de julho de 1984 – Lei de Execução Penal, determinando que os estabelecimentos penais destinados às mulheres tenham por efetivo de segurança interna somente agentes do sexo feminino.. Disponível em: <http://www.planalto.gov.br/ccivil_03/_Ato2007-2010/2009/Lei/L12121.htm>. Acesso em: 13 mar. 2012.

_____. Lei n. 12.288, de 20 de julho de 2010. Estatuto da Igualdade Racial. Institui o Estatuto da Igualdade Racial; altera as Leis nos 7.716, de 5 de janeiro de 1989, 9.029, de 13 de abril de 1995, 7.347, de 24 de julho de 1985, e 10.778, de 24 de novembro de 2003. Disponível em: <http://www.

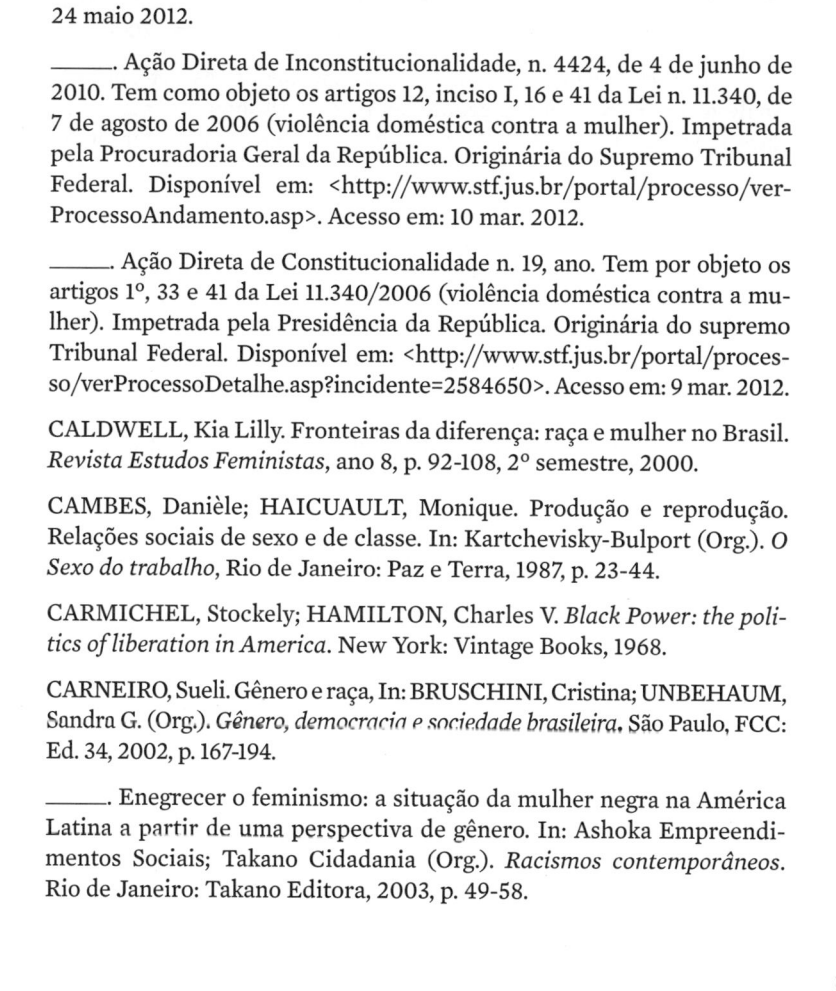

planalto.gov.br/ccivil_03/_Ato2007-2010/2010/Lei/L12288.htm>. Acesso em: 14 mar. 2012.

_____. Lei n. 12.433, de 2011. Altera a Lei no 7.210, de 11 de julho de 1984 (Lei de Execução Penal), para dispor sobre a remissão de parte do tempo de execução da pena por estudo ou por trabalho. Disponível em: <http://www.planalto.gov.br/ccivil_03/_ato2011-2014/2011/lei/l12433.htm>. Acesso em: 14 mar. 2012.

_____. Ministério da Justiça, *Secretaria de Administração Penitenciária e Ressocialização*: INFOPEN – Sistema de Informações Penitenciárias. Disponível em: <http://portal.mj.gov.br/data/Pages/MJD574E9CEITE MIDC37B2AE94C6840068B1624D28407509CPTBRIE.htm>. Acesso em: 24 maio 2012.

_____. Ação Direta de Inconstitucionalidade, n. 4424, de 4 de junho de 2010. Tem como objeto os artigos 12, inciso I, 16 e 41 da Lei n. 11.340, de 7 de agosto de 2006 (violência doméstica contra a mulher). Impetrada pela Procuradoria Geral da República. Originária do Supremo Tribunal Federal. Disponível em: <http://www.stf.jus.br/portal/processo/verProcessoAndamento.asp>. Acesso em: 10 mar. 2012.

_____. Ação Direta de Constitucionalidade n. 19, ano. Tem por objeto os artigos 1º, 33 e 41 da Lei 11.340/2006 (violência doméstica contra a mulher). Impetrada pela Presidência da República. Originária do supremo Tribunal Federal. Disponível em: <http://www.stf.jus.br/portal/processo/verProcessoDetalhe.asp?incidente=2584650>. Acesso em: 9 mar. 2012.

CALDWELL, Kia Lilly. Fronteiras da diferença: raça e mulher no Brasil. *Revista Estudos Feministas*, ano 8, p. 92-108, 2º semestre, 2000.

CAMBES, Danièle; HAICUAULT, Monique. Produção e reprodução. Relações sociais de sexo e de classe. In: Kartchevisky-Bulport (Org.). *O Sexo do trabalho*, Rio de Janeiro: Paz e Terra, 1987, p. 23-44.

CARMICHEL, Stockely; HAMILTON, Charles V. *Black Power: the politics of liberation in America*. New York: Vintage Books, 1968.

CARNEIRO, Sueli. Gênero e raça, In: BRUSCHINI, Cristina; UNBEHAUM, Sandra G. (Org.). *Gênero, democracia e sociedade brasileira*. São Paulo, FCC: Ed. 34, 2002, p. 167-194.

_____. Enegrecer o feminismo: a situação da mulher negra na América Latina a partir de uma perspectiva de gênero. In: Ashoka Empreendimentos Sociais; Takano Cidadania (Org.). *Racismos contemporâneos*. Rio de Janeiro: Takano Editora, 2003, p. 49-58.

_____. *Racismo, sexismo e desigualdade no Brasil*. São Paulo: Selo Negro, 2011.

CFEMEA – Centro Feminista de Estudos e Assessoria. Orçamento Mulher: a que se destina: Metodologia do Orçamento Mulher (atualizada em 2012). Disponível em: <http://www9.senado.gov.br/portal/page/portal/orcamento_senado/arquivo/10.%20Programas%20Sociais/10.2.%20Or%C3%A7amento%20Mulher/10.2.1.%202012/10.2.1.2.%20Execu%-C3%A7%C3%A3o/Metodologia%20do%20Or%C3%A7amento%20Mulher%202012.pdf>. Acesso em: 9 mar. 2012.

COELHO, E. C. *A oficina do diabo e outros estudos sobre criminalidade*. Rio de Janeiro: Record, 2005.

COLLINS, Patrícia Hill. *Black Feminist Thought*: Knowledge, Consciousness, and the Politics of Empowerment. New York: Routledge. 2000.

_____. *Toward A New Vision*: Race, Class and Gender as Categories of Analysis and Connection. Keynote address. Workshop on Integrating Race and Gender into the College Curriculum. Memphis: Center for Research on Women State Memphis University, 1989.

CRENSHAW, Kimberlé W. Documento para o encontro de especialistas em aspectos da discriminação racial relativos ao gênero. *Revista Estudos Feministas*, v.10, n. 1, p. 171-188, 2002.

CUNHA JR., Henrique. *Metodologia Afrodescendente de Pesquisa*. Texto de trabalho na disciplina de Etnia, Gênero e Educação na perspectiva dos Afrodescendentes. Disponibilizado no Curso de Pós Graduação lato senso: História e Cultura Africana e Afro-Brasileira e Ações Afirmativas, resultado da parceria IPAD – Instituto de Pesquisa da Afrodescendência, MEC – Ministério da Educação e Cultura e Universidade Tuiuti. Curitiba, 2006.

DAVIS Angela; DENT, Gina. A prisão como fronteira: uma conversa sobre gênero, globalização e punição. Santa Catarina, Florianópolis. *Revista de Estudos Feministas*, EdUFSC, v. 11, n. 2, jul./dez., 2003a.

DAVIS, Angela. *Are prisons obsolets?* Estados Unidos da América. New York: Open Media Book, 2003.

_____. *Mujeres, raza y clase*. Espanha. Madrid: Ediciones Akal, 2005.

DEL PRIORE, M. História das Mulheres: as vozes do silêncio. In.: FREITAS, M.C. de. (Org.). *Historiografia Brasileira em Perspectiva*. São Paulo: Contexto, 1998, p. 217-235.

REFERÊNCIAS

DINIZ, Débora; MEDEIROS, Marcelo. Aborto no Brasil: uma pesquisa domiciliar com técnica de urna. Disponível em: <http://www.ccr.org.br/uploads/noticias/PesquisaANISAbortonobrasil.pdf>. Acesso em: 6 jun. 2012.

DURKHEIM, Emile. Dos leyes de la evolución penal. *Cadernos CRH*. Salvador, v. 22, n. 57, 2009. Disponível em: <http://www.scielo.br/scielo.php?script=sci_arttext&pid=S0103497920090003000&lng=pt&nrm=iso>. Acesso em: 15 ago. 2010.

FERREIRA FILHO, Alberto Heráclito. Desafricanizar as ruas. In: _____, *Salvador das Mulheres:* condição feminina e cotidiano popular na Belle Epoque imperfeita. In: *Afro-Ásia,* n. 21 e 22. Salvador: Centro de Estudos Afro-Orientais, 1998-1999, p. 239-256.

FERREIRA, M. C. *Sexismo hostil e benevolente:* interrelações e diferenças de gênero. Temas em Psicologia, Ribeirão Preto: Sociedade Brasileira de Psicologia, 2004, v. 12, n. 2.

FLORENTINO, Manolo; RIBEIRO, Alexandre Vieira; SILVA, Daniel Domingues. Aspectos comparativos do tráfico de africanos para o Brasil (séculos XVIII e XIX). In: *Afro-Ásia,* n. 31. Salvador: Centro de Estudos Afro-Orientais, out. 2004, p. 83-126.

FORMIGA, Nilton S. Inventário de sexismo ambivalente: um estudo a partir da modelagem de equação estrutural. *Revista de Psicologia,* v. 2, n. 1, jan./jun. 2011, Fortaleza, p. 104-116, 2011.

FONSECA, Lívia Gimenes Dias da; RAMOS, Luciana de Souza. A feminilidade Encarcerada: o sistema prisional feminino no Brasil. In: *Relatório da Rede Social de Justiça e Direitos Humanos,* 2008, p. 169-174.

FOUCAULT, Michael. *Vigiar e Punir:* Historia da Violência nas Prisões. 13. ed. Petrópolis, RJ: Vozes, 1996.

_____. *Resumo dos cursos do Collège de France (1970 - 1982).* Rio de Janeiro: Jorge Zahar Editor, 1997.

_____. *Em defesa da Sociedade.* Curso no Collège de France (1975-1976). São Paulo: Livraria Martins Fontes, 1999.

_____. *Os Anormais (a construção "científica" do crime e do criminoso).* São Paulo: Martins Fontes, 2002.

_____. *Em defesa da Sociedade.* Curso no Collège de France (1975-1976). São Paulo: Martins Fontes, 2005.

FREYRE, Gilberto. *Casa-Grande & Senzala.* 34. ed. Rio de Janeiro: Record, 1988.

GARLAND, David. *Castigo y Sociedad Moderna*. Un estudio de Teoría Social. México y Madrid: Siglo XXI Editores, 1999 (1990).

_____. *A Cultura do Controle*. Rio de Janeiro: Revan, 2008.

GONZALEZ, Lelia. Racismo e sexismo na cultura brasileira. brasileira". IN: SILVA, Luiz Antonio Machado da *et ali*. *Movimentos sociais urbanos, minorias étnicas e outros estudos*. Brasília: ANPOCS, 1983, p. 223-244.

GOFFMAN, Erving. *Manicômios, Prisões e conventos*. São Paulo: Perspectiva, 1974.

_____. *A Representação do Eu na Vida Cotidiana*. Petrópolis, RJ: Vozes, 2002.

GRAMSCI, Antonio. *Cadernos do Cárcere*. Rio de Janeiro: Civilização Brasileira, 2000.

GUILLAUMIN, Colette. Enquanto tivermos mulheres para nos darem filhos. A respeito da raça e do sexo. *Revista Estudos Feministas*, nº Especial, 2º semestre, p. 228-233, 1994.

HARDING, Sandra. *Ciência y feminismo*. Madrid: Ediciones Morata, 1996.

HARAWAY, Donna. Situated Knowledges: The Science Question in Feminism and the Privilege of Partial Perspective. In: HARAWAY, Donna (Ed.). *Symians, Cyborgs and Women:* the Reinvention of Nature. New York: Routledge, 1996. p. 183-202.

HOOKS, Bell. *Intelectuais Negras*. Estudos Feministas, n. 2, ano 3, 2º semestre. Florianópolis, 1995, p. 464-478. Disponível em: <http://www.ieg.ufsc.br/admin/downloads/artigos/10112009-123904hooks.pdf>. Acesso em: 14 ago. 2011.

_____. *Feminism is for everybody*. Inglaterra, Londres: Pluto Press, 2000.

_____. *Straightening our hair*. Z Magazine, September 1988. Disponível em <http://www.zcommunications.org/straightening-our-hair-by-bell-hooks>. Acesso em: 9 set. 2011.

_____. *Mulheres negras moldando uma teoria feminista*. Mimeo, 2012. Tradução de Zelinda Barros.

JAGGAR, Alison M.; BORDO, Susan R. *Gênero, Corpo, Conhecimento*. Rio de Janeiro: Rosa dos Tempos, 1997.

KABEER, Naila. *Desde as Contribuições Feministas, para um Quadro Analítico das desigualdades de gênero em uma perspectiva institucional*. Mimeo, 1999. Tradução de Cecília Sardenberg.

REFERÊNCIAS

LACOSTE, Pablo. La cárcel y el carcelero de La mujer colonial. *Revista de Estudos Iberoamericanos*. PUCRS, v. XXXIII, n. 2, p. 7-34. dez. 2007.

LAURETIS, Teresa de. A tecnologia do gênero. In: HOLLANDA, Heloísa Buarque de (Org.). *Tendências e Impasses*: o feminismo como crítica da cultura. Rio de Janeiro: Rocco, 1994, p. 206-242.

LEITÃO, Kleber Luis da Costa. *Prisão:* O que é que a Bahia tem. 2001. Disponível em: <http://www.clacso.edu.ar/~libros/anpocs00/gt15/00gt1534.doc>. Acesso em: 16 jul. 2012.

LEMGRUBER, Julita. *Cemitério dos vivos; análise sociológica de uma prisão de Mulheres*. Rio de Janeiro: Edições Achiamé Ltda, 1983.

LEMGRUBER, Julita; PAIVA, Anabela. *A dona das chaves*. Rio de Janeiro: Record, 2010.

_____. *Cemitério dos Vivos*. 2. ed. Rio de Janeiro: Forense, 1999.

LOMBROSO, Cesar; FERRERO, William. *The Female Offender*. Colorado: Fred B. Rothman & Co., 1980.

LOURO, Guacira L. Pedagogia da sexualidade. In: *O Corpo Educado:* pedagogias da sexualidade. Belo Horizonte: Autêntica Editora, 2000, p. 7-33.

_____. Gênero, sexualidade e poder. In: *Gênero, sexualidade e educação:* uma perspectiva pós-estruturalista. 6. ed. Petrópolis/RJ, Vozes, 1997, p. 37-56.

MACEDO, Márcia. Mulheres chefes de família e a perspectiva de gênero: trajetória de um tema e a crítica sobre a feminização da pobreza. *Cadernos CRH*, Salvador, v. 21, n. 53, p. 389-404, maio/ago. 2008.

MACHADO, Fernando Luis. Os novos nomes do racismo: especificação ou inflação conceitual? *Sociologia*, n. 33, p. 9-44, set. 2000.

MACHADO, Lia Zanota. *Perspectivas em Confronto:* Relações de Gênero ou Patriarcado Contemporâneo. Série Antropologia, Brasília-DF, 2000, v. 284, p. 1-19.

MARIZ, Renata. *Falhas em cursos de capacitação dão prejuízo de R$ 5 milhões ao governo*. Disponível em: <http://www.correiobraziliense.com.br/app/noticia/brasil/2012/03/28/interna_brasil,295247/falhas-em-cursos-de-capacitacao-dao-prejuizo-de-r-5-milhoes-ao-governo.shtml>. Acesso em: 17 abr. 2012.

MAURER, Hautmut. *Direito Administrativo Geral*. Barueri, SP: Manole, 2006.

MENDIETA, Eduardo. Política e Prisões: uma entrevista com Angela Davis. *Revista Impulso*. São Paulo, Piracicaba, v. 17, n. 43, p. 127-138, 2006.

MENDONCA, Milena B.; TAVARES, Marcia. S. Gênero aprisionado: um estudo no presídio feminino de Aracaju. *Cadernos de Graduação: ciências biológicas e da saúde*, v. 6, p. 161-176, 2007.

MELLO, Celso Antônio Bandeira de. *Curso de Direito Administrativo*. São Paulo: Malheiros, 2010.

MITCHELL, Juliet. *Mulheres:* A Revolução Mais Longa. *Revista Civilização Brasileira*, ano III, n. 14, p. 5-41, jul. 1967.

MOORE, Carlos. *O marxismo e a questão racial:* Karl Marx e Friedrich Engels frente ao racismo e à escravidão. Belo Horizonte: Cenafro / Mandyala, 2010.

_____. *Racismo através da história:* da antiguidade à modernidade. Mimeo. Copyright 2007@ Carlos Moore Wedderburn.

MOTTA, Alda Britto da. *As dimensões de gênero e classe social na análise do envelhecimento*. Dossiê Gênero e Gerações. *Cadernos Pagu*, Campinas, n. 13, p. 191-221, 1999.

ONU. *Mortes em países latinos e desrespeito aos direitos humanos no Brasil preocupam ACNUDH*. 2010. Disponível em: <www.onu.org.br/mortes-em-paises-latinos-e-desrespeito-aos-direitos-humanos-nas-prisoes-do-brasil-preocupam-acnudh/>. Acesso em: 7 fev. 2012.

Mulher que esquartejou o marido morre no HGE. Disponível em: <http://www.aratuonline.com.br/noticia/7929,mulher-que-esquartejou-o-marido-morre-no-hge.html>. Acesso em: 25 jun. 2012.

NICHOLSON, Linda. Interpretando gênero. *Revista de Estudos Reministas*, v. 8, n. 2, p. 9-42, 2000.

OLIVEIRA, Marina M. C. de. *A religião nos presídios*. São Paulo: Cortez & Moraes, 1978.

OLIVEIRA, Fátima. *A saúde da população negra:* Brasil: Ano 2001. Brasília: Organização Pan-americana de Saúde (OPAS), 2003.

ORTIZ, Renato. *Pierre Bourdieu:* sociologia. Trad. de Paula Monteiro e Alicia Auzmendi. São Paulo: Ática, 1983.

PAIXÃO, Clerisvaldo Santos. Racismo e a gênese do homem moderno. In: *Revista Ideação. Núcleo Interdisciplinar de Estudos e Pesquisa em Filosofia*, Universidade Estadual de Feira de Santana, n. 21, p. 75-102, jan./jun. 2009.

REFERÊNCIAS

PASSOS, Luisa de Marillac Xavier dos; PENSO, Maria Aparecida. *O Papel da Comunidade na Aplicação e Execução da Justiça Penal*. Brasília, Distrito Federal, ESMPU, 2009.

PETERLE, Patricia. Reinventando a história de Olympe Gouges. *Revista de Estudos Feministas*. Santa Catarina, Florianópolis: EdUFSC, v. 17, n. 2, p. 94-95, maio/ago. 2009.

PINTO, Elisabete Aparecida; POLACHINI, Cesar Oscar. *Sistematização e avaliação da Experiência Desenvolvida pela Secretária Municipal de Saúde da Prefeitura Municipal de São Paulo em Programas de Atenção, Prevenção e Assistência à HIV/AIDS*. 1996.

PINTO, Elisabeth A.; BOULOS, Suely R.; ASSIS, Mabel de. Saúde mental da população negra: uma breve reflexão a partir da experiência com grupos de autoajuda. In: WERNECK, Jurema; MENDONÇA, Maísa; WHITE, Evelyn C. *O livro da saúde das mulheres negras*: nossos passos vêm de longe. Rio de Janeiro: Pallas/Criola, 2000, p. 171-175.

PINTO, Elisabeth A. *Etnicidade, gênero e educação:* a trajetória de vida de D. Laudelina de Campos Mello (1904-1991), 1993, f. 184 Dissertação (Mestrado em Ciências Sociais Aplicadas à Educação) – Faculdade de Educação, Universidade Estadual de Campinas, São Paulo, Campinas, 1993.

PONTES, Heloisa. Vida e obra de uma menina nada comportada: Pagu e o Suplemento Literário do Diário de S. Paulo. *Cadernos Pagu*, n. 26, São Paulo, Campinas: Editora da UNICAMP, jan./jun. 2006.

PROGRAMA DE COMBATE AO RACISMO INSTITUCIONAL (edição bilíngue) – PCRI. Ministério do Governo Britânico para o Desenvolvimento Internacional – DFID. Brasília, mar. 2007.

RAGO, Margareth. Epistemologia feminista, gênero e história. In: PEDRO, J. M.; GROSSI, M. P.(Org.). *Masculino, feminino, plural:* gênero na interdisciplinaridade. Florianópolis: Mulheres, 1998, p. 1-11.

Relatório sobre mulheres encarceradas no Brasil: Rio de Janeiro, 2007. CEJIL – Centro pela Justiça e pelo Direito Internacional.

RIBEIRO, Matilde. Mulheres Negras Brasileiras: de Bertioga a Beijing. In: *Revista Estudos Feministas,* ano 3, n. 2, 1995.

RICH, Adrienne. *Heterossexualidade compulsória e existência lésbica*. Tradução de Carlos Guilherme do Valle. *Revista Bagoas*, Natal: Centro de Ciências Humanas, Letras e Artes da Universidade Federal do Rio Grande do Norte, v. 5, p. 17-44, 2010.

RODRIGUES, Maria Lúcia; FARIAS, H. de L. (Org.). *O sistema prisional e a questão dos direitos humanos:* um desafio às políticas sociais. São Paulo: PC Editora, 2012.

RODRIGUES, A. Nina. Mestiçagem, degenerescência e crime. *Revista médico-legal.* Tradução de Mariza Corrêa. Archives d'Anthropologie Criminelle, 1899. Disponível em: <http://www.pagu.unicamp.br/files/pdf/Mesticagem.p>. Acesso em: 19 mar. 2012.

RUBIN, Gayle. *O tráfico de mulheres:* notas sobre a "economia política" do sexo. Recife: SOS Corpo, 1993.

SAFFIOTI, Heleieth, "Rearticulando Gênero e Classe" In: COSTA, A. O.; BRUSCHINI, C. (Org.). *Uma Questão de Gênero.* Rio de Janeiro: Rosa dos Tempos; São Paulo: Fund. Carlos Chagas, 1992, p. 183-215.

_____. A Ontogênese do Gênero. In: STEVENS, Cristina Maria Teixeira; SWAIN, Tânia Navarro. *A construção dos corpos.* Perspectivas Feministas. Florianópolis: Mulheres, 2008, p. 1-33.

SCOTT, Joan Wallach. *Gênero:* uma categoria útil para a análise histórica. *Educação e Realidade,* Porto Alegre, v. 16, n. 2, p. 5-22, jul.-dez., 1990.

_____. Preface the gender and politics of history. *Cadernos Pagu,* n. 3. São Paulo, Campinas: Ed. UNICAMP, 1994.

_____. *O enigma da igualdade.* Estudos Feministas, Santa Catarina, Florianópolis. *Revista de Estudos Feministas,* EdUFSC, v. 13, n. 1, p. 11-30, jan./abr. 2005.

SAMPAIO, E. O. Racismo institucional: desenvolvimento social e políticas públicas de caráter afirmativo no Brasil. Interações – *Revista Internacional de Desenvolvimento Local,* Campo Grande, v. 4, n. 6, p. 77-83, mar. 2003.

SANTOS, Carla A. S. *Racismo Institucional:* Crime do Estado, Pena para as Mulheres, 2008, 62 f. Monografia (Graduação em Serviço Social) – Escola de Serviço Social, Universidade Católica do Salvador, Salvador, 2008.

SANTOS, Hélio. *Em busca de uma solução para o Brasil:* a trilha do círculo viciosos. São Paulo: Editora Senac, 2001.

SANTOS, Ivair Augusto Alves dos. *Direitos humanos e as práticas de racismo.* Brasília: Fundação Cultural Palmares, 2012.

SARDENBERG, Cecília M.B. " A Mulher e a Cultura da Eterna Juventude: Reflexões Teóricas e Pessoais de uma Feminista Cinqüentona". In:

Enilda Rosendo e Silvia L. Ferreira (Org.), *Imagens da Mulher na Cultura Contemporânea*, Salvador: NEIM-UFBA, 2002.

SHUMAHER, Shuma; BRASIL, Érico Vital (Org.). *Dicionário das mulheres do Brasil*: de 1500 até a atualidade – biográfico e ilustrado. Rio de Janeiro: Zahar, 2000.

SILVÉRIO, Valter Roberto. Ação Afirmativa e Combate do Racismo Institucional no Brasil. In: *Concurso Negro e Educação*, 2003.

_____. Políticas raciais compensatórias: o dilema brasileiro do século XXI. In: *Anais dos Seminários regionais preparatórios para III conferência mundial contra o racismo, discriminação racial, xenofobia e intolerância correlata*. Brasília: Ministério da Justiça, 2001, p. 123-138.

SILVA, Eliane Borges da. *Tecendo o fio, aparando as arestas:* o movimento de mulheres negras e a construção do pensamento negro feminista. Rio de Janeiro, 2005.

SILVIA, Maciel H. *História de Delindra Maria de Pinho:* uma preta forra de honra no Recife da primeira metade do século XIX. Afro-Ásia, n. 32. Salvador: Centro de Estudos Afro-Orientais, 2005, p. 219-240.

SILVA NETA, M. J. Aguiar; TAVARES, M. S. De dentro para fora: mulheres em regime semi-aberto do presídio feminino de Aracaju e a reinserção no mercado de trabalho em 2006-2007. *Cadernos de Graduação: Ciências Humanas e Sociais*, v. 6, p. 219-236, 2007.

SOARES, Bárbara Musumeci; ILGENFRITZ, Iara. *Prisioneiras:* vida e violência atrás das grades. Rio de Janeiro: Garmond, 2002.

SOUZA, Raymond de. Infanticídio indígena: uma tragédia silenciada. Saint Gabriel Comunications International. Disponível em: <http://saintgabriel-international.com/downloads/infanticidio%20ebook.htm>. Acesso em: 10 jun. 2012.

SYKES, G. M. *The society of captives: a study of a maximum prison*. New Jersey: Princeton University Press, 1999.

VARJÃO, Suzana. *Micropoderes, Macroviolências*. Mídia Impressa/Aparato Policial. Salvador: EDUFBA, 2008.

TORNQUIST, C. Suzana. Vicissitudes da subjetividade: autocontrole, autoexorcismo e liminaridade na antropologia dos movimentos sociais. In: BONETTI, Aline; FLEISCHER, Soraya. *Entre saia justa e jogos de cintura*. Florianópolis: Ed. Mulheres/Santa Cruz do Sul: EDUNISC, 2007, p. 42-74.

United Nations Rules for the Treatment of Women Prisoners and Non--custodial Measures for Women Offenders (the Bangkok Rules), 2010. Resolução 2010/16 da Assembleia Geral das Nações Unidas. Disponível em: <http://www.carceraria.org.br/fotos/fotos/admin/mulher%20presa/Bangkok%20Rule%20ingls.pdf>. Acesso em: 23 maio 2012.

YOUNG, J. *Sociedade Excludente - sociedade e cárcere hoje*. Rio de Janeiro: Editora Revan/ Instituto Carioca de Criminologia, 2002.

WACQUANT, Loïc. *Punir os Pobres:* a nova gestão da miséria nos Estados Unidos. Rio de Janeiro: Freitas Bastos, 2001.

_____. *As Prisões da Miséria*. Rio de Janeiro: Jorge Zahar, 2001.

_____. *As duas faces do gueto*. São Paulo: Boitempo, 2008.

WERNECK, Jurema. Nossos passos vêm de longe! Movimento de Mulheres Negras e Estratégias Políticas contra o Sexismo e o Racismo. In: WERNECK, Jurema (Org.). *Mulheres negras:* um olhar sobre as lutas sociais e as políticas públicas no Brasil. Rio de Janeiro: Crioula, 2009, p. 76-84.

_____. O desafio das Ialodês: mulheres negras e a epidemia de HIV/AIDS. In: WERNECK, Jurema; MENDONÇA, Maísa; WHITE, Evelyn C. *O livro da saúde das mulheres negras:* nossos passos vêm de longe. Rio de Janeiro: Pallas/Criola, 2000, p. 95-104.

WHITE, Evelyn C. O Amor não Justifica: Mulheres Negras e Violência Doméstica. In: WERNECK, Jurema; MENDONÇA, Maísa; WHITE, Evelyn C. *O livro da saúde das mulheres negras:* nossos passos vêm de longe. Rio de Janeiro: Pallas/Criola, 2000, p. 147-152.

ZAFFARONI, E. RAÚL. *Em busca das penas perdidas*: a perda da legitimidade do sistema penal. Rio de Janeiro: Revan, 1998.

GLOSSÁRIO

171 – Diz da pessoa com surpreendente capacidade de persuadir e enganar, sendo ela estelionatária ou não.

APERTAR A MENTE – Pressionar psicologicamente com um assunto não palatável.

BACULEJO – Revista geral pelo corpo de funcionários nas celas em busca de drogas, celulares, entorpecentes ou objetos proibidos pela instituição.

BASE – Local onde as internas são recebidas pelas agentes penitenciárias para apresentar queixas, solicitar direitos.

BARATINO – Mentira inconsistente.

B.O. – Erro grave, cujo autor precisa assumir.

BOI – Vaso sanitário.

(TOMAR) BONDE – Transferência de uma unidade prisional para outra em município diverso, motivada por escolhas arbitrárias da instituição ou por mau comportamento real da encarcerada.

CAGUETE – Diz da pessoa delatora de um plano coletivo ou de infrações alheias.

CATATAU – Carta ou bilhete.

COCÓ – Emboscada, cilada, traição.

COMARCA – Cama.

CONFERE – Procedimento de checagem do número de internas nas galerias.

DÊ A VOZ – Falar, pronunciar-se, manifestar-se a respeito de algum assunto.

ENTENDIDA – Diz daquela que, sem ser lésbica, faz sexo com outra mulher lésbica.

GUISO – Diz da pessoa cobaia em troca de dinheiro ou favores.

LAYDES OU LÊNDEA – Diz da mulher lésbica cujo comportamento é heteronormativo ou se verifica aspectos consagrados como sendo de feminilidade.

LOMBRAR – Exercer um comportamento atípico, em decorrência da abstinência ou uso de substância psicoativa com finalidade de chamar atenção do corpo de guardas.

MACETOSA – Pessoa que tem manha para conseguir algo, mesmo não sendo direito.

MOLHAR – Ser descoberta.

PAGAR RAMPA – Trabalhar servindo a refeição.

PAPAGAIO – Rádio.

PASSAR – Saída da cela para repartições institucionais.

PESAR A CADEIA – Situação pessoal ou realidade coletiva capaz de tornar a prisão ainda mais dolorosa.

PIOLHO OU VIADO – Diz da mulher de arquétipo viril, cuja identidade de gênero é homossexual.

PREZADA(O) – Agente penitenciário ou de segurança.

PULSEIRA DE PRATA – Algema.

QUEIXAR – Demonstrar interesse em manter relacionamento afetivo; o mesmo que intimar.

RETIRAR DE QUEBRADA – Evitar conflitos ou conchavos capazes de acentuar a pena de privação de liberdade.

ROÇAR – Estabelecer relações afetivo-sexuais entre lésbicas.

SACOLA – Credibilidade adquirida pelo acesso a bens e alimentos trazidos por familiares.

SACIZEIRA – Vem de saci-pererê, fazendo referência à pessoa "deficiente," anormal, por conta da dependência de drogas.

TERESA – Cordão feito com lençóis para auxiliar a fuga.

TIRAR CADEIA – Cumprir pena de privação de liberdade.

TIRAR DE BOA – Superar uma dificuldade com traquilidade.

TRANCA – Isolamento da interna em cela individual por mau comportamento.

VIRAR A CADEIA – Motim, rebelião na prisão em razão de insatisfação, denúncia e negação de direitos.

VISITA – Dinheiro.

X9 – Delatora.

Este livro foi impresso em 2019,
na gráfica Rettec, composto nas fontes
Mercury Text G4 e Aktiv Grotesk,
e impresso em papel Pólen Soft 80g
no miolo e Supremo 250g na capa.